M000199431

NÉE EN FRANCE

AÏCHA BENAÏSSA
SOPHIE PONCHELET

NÉE EN FRANCE

Histoire d'une jeune beur

PAYOT

La loi du 11 mars 1957 n'autorisant aux termes des alinéas 2 et 3 de l'article 41, d'une part, que les *copies ou reproductions strictement réservées à l'usage privé du copiste et non destinées à une utilisation collective*, et, d'autre part, que les analyses et les courtes citations dans un but d'exemple ou d'illustration, *toute représentation ou reproduction intégrale ou partielle, faite sans le consentement de l'auteur ou de ses ayants droit ou ayants cause*, est illicite (alinéa 1er de l'article 40). Cette représentation ou reproduction, par quelque procédé que ce soit, constituerait donc une contrefaçon sanctionnée par les articles 425 et suivants du Code pénal.

Je dédie ce livre à toutes celles qui se battent pour leur liberté et je remercie toutes les personnes qui ont participé au dénouement de cette histoire.

Une fille, on l'élève pour la maison des autres
Proverbe kabyle

Lettre adressée d'Algérie au proviseur du lycée où Aïcha a fait ses études.

« 15 janvier 1985

Monsieur,

Je vous adresse cette lettre pour vous dire combien je suis désespérée et surtout piégée. Je dois vous avouer que pendant les vacances de Noël, je suis rentrée chez moi avec l'espoir de pouvoir présenter un jour Antonio à mes parents. Ils se sont montrés très compréhensifs. Ma mère lui a même parlé au téléphone.

A la suite de cela, mon père m'a proposé de partir trois jours en Algérie pour assister au mariage de mon cousin. Je ne pouvais lui refuser ce plaisir. Je croyais que toutes les expériences qu'il avait vécues avec moi l'avaient fait changer.

Je suis donc partie avec ma mère et ma sœur. Une fois arrivées en Algérie, mon père nous a annoncé au téléphone que si ma mère et moi rentrions en France, il nous tuerait.

A présent, ma mère refuse absolument de me donner mon passeport et avant de partir, mon père m'a déchiré ma carte d'identité française. Je suis bloquée ici, je suis complétement démunie, il ne me reste que l'appui de mes deux cousines. Je compte essentiellement sur vous pour m'aider.

Je suis surveillée 24 heures sur 24 par ma mère. Elle se réjouit que je sois prisonnière.

Pour sauver leur honneur, mes parents sont prêts à sacrifier ma vie. Ils préfèrent me voir mourir en Algérie que me savoir vivante en France.

Je vous en prie, aidez-moi. Je suis au bord du suicide. Je n'ai plus de force pour combattre.

Je reconnais que j'ai agi tout au long avec inconséquence, mais j'avais tellement pitié de mes parents. Je ne réalisais pas que tout ceci pouvait m'arriver. Maintenant, je ne souhaite plus qu'une chose : sortir de ce pays. Cela durera le temps qu'il faudra, mais je partirai.

En tout cas, il n'y a aucun moyen de récupérer ce passeport, j'ai vraiment tout essayé.

Ici, je lutte non seulement contre mes parents, mais aussi contre toute ma famille.

La seule arme qu'il me reste maintenant, c'est l'espoir. Je n'ai plus rien d'autre.

Je vous en prie, si vous pouvez faire quelque chose, faites vite, je suis tellement épuisée. Ma mère menace de me faire entrer dans un hôpital psychiatrique si je ne me tais pas. Alors je me tais, et j'espère. C'est ce qui m'aide à vivre, ou plutôt à survivre.

En France, il y a encore mon père, mon frère et mes deux petites sœurs. Méfiez-vous de mon père. S'il apprend quelque chose, il téléphonera à ma famille et là, ce sera terminé. Méfiez-vous de la police et de la douane algérienne, car ils donnent raison aux parents. En Algérie, la femme n'a aucun droit.

Je viens d'apprendre que tôt ou tard mes parents me marieront. Je vous en prie, épargnez-moi ce supplice.

Si vous venez me chercher, emmenez-moi à la minute où vous m'aurez vue. Sinon, j'en subirai les conséquences.

Aïcha

P.S. : Je n'ai trouvé qu'un crayon à papier pour écrire. »

PREMIÈRE PARTIE

« *Andki ala drairi* » : « Attention aux garçons »

Tous les jours, avant de fermer la porte, ma mère me répétait cette phrase, quand je partais à l'école ou quand je sortais faire une course juste à côté de la maison.

J'avais toujours cette phrase derrière la tête, cette phrase qui ne voulait rien dire. À l'école, ou n'importe où ailleurs, j'aurais pu sauter sur le premier venu... J'essayais d'être normale, d'avoir des relations normales avec les garçons. Mais j'avais toujours cet avertissement présent à l'esprit.

A force, j'ai appris à vivre avec. Je savais ce que j'avais à faire. J'ai réussi à dissocier ma personnalité, à faire cohabiter en moi deux personnages opposés : la Française que je suis, l'Algérienne que mes parents auraient voulu que je sois.

Mes parents sont nés tous les deux en Algérie, en Kabylie exactement. Mon père, comme mon grand-père, est arrivé en France assez jeune, pour travailler et envoyer de l'argent à sa famille. A l'époque, l'Algérie était française et la France avait besoin de main-d'œuvre bon marché. Une trajectoire classique, celle de beaucoup d'immigrés.

Je n'ai jamais vraiment su comment mes parents s'étaient rencontrés. Enfin, rencontrés... Disons que mon père est rentré se marier en Algérie. Il est allé demander la main de ma mère à ses parents, et, elle, on ne lui a pas demandé son avis. Elle n'avait pas envie de se marier. Elle me l'a répété plusieurs fois. Avec elle, je discute souvent du passé, beaucoup plus facilement qu'avec mon père.

Au moment où il est venu la demander, elle commençait à faire une dépression nerveuse. Ses frères l'avaient enfermée à la maison dès l'âge de dix ans. Les médecins lui conseillaient d'aller vivre en France.

Elle venait pourtant d'un milieu beaucoup plus évolué que celui de mon père. Mes oncles maternels sont tous allés à l'école, et certains jusqu'au bac. Les filles, évidemment, arrêtaient vers dix ans pour rester à la maison et se consacrer aux tâches ménagères.

Ma mère en a beaucoup souffert et elle ne l'a jamais accepté. Mon père est arrivé au bon moment, en lui proposant de partir. Ils se sont mariés en 1959 ou 1960, je ne sais même pas où. Elle m'a juste montré ses escarpins blancs et ses gants, qu'elle a conservés.

Ç'a été un mariage très rapide, presque précipité. Ils sont partis en France tout de suite après. Parce que du côté de mon père, on ne voulait pas d'elle. Mes parents sont cousins éloignés et les deux branches de la famille nourrissaient des rancœurs très anciennes.

Les deux familles se jalousaient et se dépréciaient mutuellement. Mon père vient d'un milieu très simple, alors que du côté de ma mère, ils se disent presque nobles... En fait, mes grands-parents étaient commerçants!

Ma mère habitait une belle maison dans un quartier résidentiel où vivaient les Français. Elle a dû en côtoyer beaucoup et subir leur influence. Par exemple, elle a porté un tailleur très jeune, même en Algérie. Elle m'a aussi raconté qu'elle essayait toujours d'inculquer aux femmes de la famille une certaine forme de liberté. Elle parlait déjà, il y a trente ans de cela, de « libérer la femme algérienne »...

Quand je suis née, elle avait déjà vingt-quatre ou vingt-cinq ans. Pour là-bas, c'était incroyablement tard.

Mes parents ne connaissent pas exactement leur âge. A cette époque, l'état civil était plutôt fantaisiste et beaucoup d'Algériens de leur génération sont dans le même cas. D'après son acte de naissance, ma mère aurait cinq ans de plus que mon père. Il aurait aujourd'hui cinquante et un ans, elle approcherait la soixantaine. Quand on les voit, c'est impossible. Il paraît un peu plus vieux qu'elle et ils ont en réalité une cinquantaine d'années tous les deux.

Sur le passé de ma famille, je ne sais rien de plus. C'est comme si on avait toujours essayé de dissimuler certains événements.

La guerre d'Algérie, j'ai essayé d'en parler. C'est un sujet tabou. On n'en parle pas, jamais. J'ai juste réussi à savoir que mon grand-père et mes oncles avaient été torturés pendant la résistance. Mon père était en France, il s'est fait arrêter, il a fait de la prison. Je ne sais pas pourquoi, je ne sais pas combien de temps. A chaque fois que j'abordais ce sujet, il esquivait mes questions. Il était interdit d'en parler. Je respecte son silence. Il a le droit de se taire, de préférer oublier un passé douloureux.

Aujourd'hui, il n'y a plus aucune hostilité en Algérie à l'égard des Français. Tous ces événements appartiennent au passé. C'est terminé, on n'en parle plus. Ils accueillent les Français avec chaleur, tout en gardant une certaine distance. Ils sont arabes, ils se sentent maghrébins à part entière et sont prêts à défendre jusqu'au bout leur culture et leur religion.

En France, mon père a de très bons contacts. Il a beaucoup plus d'amis français que maghrébins. Il parle très bien français, parfois même sans accent. Il est ouvrier dans une usine de matériaux. Ma mère, elle, ne travaille pas. Elle l'aurait sans doute souhaité, mais par tradition, la femme ne travaille jamais à l'extérieur. Alors, elle s'est mise à garder des enfants à la maison. Elle ne sort presque jamais.

Les Maghrébins, entre eux, ne sont pas toujours faciles à vivre. Ils se renferment sur eux-mêmes, se créent leur propre ghetto. Mes parents, au contraire, ont toujours été très ouverts. Ils ont beaucoup d'amis. Beaucoup de Français.

Je n'ai pas beaucoup de souvenirs d'enfance. En fait, je pourrais dire que pour moi, tout a commencé à douze ans.

Je suis l'aînée de cinq enfants : quatre filles et un garçon. Mon frère est né un an après moi, et mes trois sœurs sont arrivées ensuite, chacune avec deux ans d'écart.

Ma mère a eu plusieurs déceptions avant ma naissance. Plusieurs fausses couches. Et puis elle a perdu un enfant quelques jours après sa naissance. Ils n'espéraient plus. Alors quand je suis arrivée, ils étaient vraiment fous de joie.

Une chose que je tiens à préciser, c'est que je

n'ai jamais manqué d'affection. J'ai été élevée comme n'importe quel autre enfant. Mes parents m'ont aimée, adorée. Ils m'ont beaucoup attendue et espérée.

Mais j'étais une fille, et aux yeux de ma grand-mère, ma mère n'avait même pas été capable de donner un fils à son fils. Un dicton kabyle fait dire au père qui apprend la naissance d'une fille :

« Il est né un membre de plus à la famille,
Avec, je ne remplirai pas la maison
Avec, je ne combattrai pas mes ennemis. »

Mes parents, eux, étaient simplement heureux d'avoir un enfant, quel que soit son sexe...

Je n'ai jamais manqué d'amour. Ils avaient sans doute une conception différente de ce qui était bon pour un enfant, mais l'amour était le même.

C'est ce qui m'a fait tenir : je savais que mes parents m'aimaient. Mais ce qu'ils estimaient bon pour moi, la façon dont ils envisageaient mon avenir, n'avait rien à voir avec ce que je voulais, avec ce que je suis devenue aujourd'hui.

Ils avaient essayé d'adopter une éducation « mixte », en adaptant ici, en France, le modèle qu'ils avaient reçu en Algérie. Mais trop de règles sont difficiles à transposer, quand elles ne sont pas totalement contradictoires. Par exemple, rien n'est prévu en France pour la période du ramadan : il faut continuer à aller à l'école et à travailler comme d'habitude. Alors qu'en Algérie, les gens vivent plus ou moins au ralenti pendant cette période. Autre paradoxe : en Algérie, toute l'éducation de la jeune fille est conditionnée par cette virginité qu'il faut à tout prix préserver. Alors qu'en France, même la télévision diffuse des publicités pour les préservatifs en recommandant aux jeunes de les utiliser.

Mais mes parents ne pouvaient pas tout comprendre. Ils n'imaginaient même pas les difficultés que nous rencontrions en dehors de la maison à cause de cette éducation, mélange de deux cultures distinctes et souvent incompatibles. En recevant ainsi des bribes de chacune, on n'en assimile aucune complètement. Seuls les enfants s'en rendent compte, plus tard, quand ils atteignent un certain âge.

Vu de l'extérieur, j'ai reçu une éducation « à la française » : j'allais à l'école comme les autres, je portais les mêmes vêtements. Mais une fois rentrée à la maison, je devais respecter des règles qui n'étaient d'ailleurs jamais énoncées clairement ; tout restait sous-entendu, suggéré.

Nous, les filles, ne devions jamais trop nous montrer quand il y avait des hommes à la maison. On nous faisait comprendre qu'il fallait rester dans notre chambre. Et bien sûr, il ne fallait jamais ramener de garçons à la maison. Mais ça, il n'y avait même pas besoin de nous le faire comprendre...

Pourtant, j'entends encore ce que disait ma mère sur la liberté des femmes. Je ne comprends toujours pas comment elle pouvait aller aussi loin en pensée et se rallier quand même à des principes si profondément contraires à ce qu'elle pensait. Je crois au fond qu'elle se protégeait tout simplement contre mon père.

Pour elle, une femme libre, c'était une femme qui pouvait étudier pour rencontrer quelqu'un de « bien », un homme avec une bonne situation sociale. Toujours viser haut : médecin, notaire... Le bonheur matériel avant tout.

Mon frère était bien conscient d'être le seul garçon de la famille. Il en tirait profit et n'hésitait pas à jouer de son autorité. J'essayais chaque fois de le remettre à sa place comme je pouvais.

A table, par exemple, il fallait se taire. Avec mes sœurs, on piquait des fous rires, on se chamaillait, et c'était mon frère qui intervenait pour remettre de l'ordre. Il était le porte-parole de mon père qui lui donnait toujours raison et nous ordonnait de le respecter. Mon frère nous toisait alors d'un air infiniment supérieur... Je ne le laissais pas faire. Il ne m'intimidait pas du tout et j'essayais de lui faire comprendre qu'il ne fallait pas qu'il abuse trop.

Malgré tout, nous étions très liés. J'essayais d'entretenir avec lui des rapports fraternels normaux et nous nous faisions certaines confidences. Il me parlait de ses petites copines et je lui racontais mes histoires. A cause de ce lien, il ne les a jamais répétées. Et sûrement parce qu'au fond, il était autant à plaindre que nous, les filles. Il était pris entre mes parents et nous, sans jamais vraiment savoir quel comportement adopter, quelle attitude avoir.

Très tôt, je me suis rendu compte que j'allais devoir cacher certaines choses à mes parents. Au début, ce n'étaient que de petits mensonges instinctifs. Plus tard, ils sont devenus raisonnés. Pour un instant de liberté. Un instant passé à l'extérieur, à l'école ou ailleurs.

Je détestais mentir, sans doute à cause de l'éducation qu'ils m'avaient donnée. Mais je ne pouvais pas entretenir cette hypocrisie constamment. Eux étaient sincères, je ne voyais donc pas pourquoi il m'était impossible de leur dire ce que j'espérais faire de ma vie, ce dont je rêvais, qui j'étais vraiment.

Je les aimais, ils m'aimaient et je leur ai doublement menti. A partir de ces petits mensonges d'enfant, j'ai adopté toute une ligne de conduite. Devant eux, je faisais tout pour être la jeune fille parfaite et sans reproche qu'ils souhaitaient que je sois. C'était une question de patience. Mais à douze ans, je me suis juré que le moment venu, je briserais le masque et je partirais.

Et tout a été deux fois plus terrible pour eux, parce qu'ils sont tombés de tellement haut.

L'âge charnière, c'est la puberté. Tous les problèmes surgissent à cet âge-là, vers douze ou treize ans. C'est un bouleversement total : les premières règles, les seins qui poussent et l'attitude des parents qui change du tout au tout.

Le père ne dit jamais rien directement. Il transmet ses « directives » à la mère et c'est elle qui s'occupe de tout, surtout pour ses filles. Les rapports fille-père passent systématiquement par la mère qui, de son côté, brandit souvent la menace paternelle.

A la puberté, mes relations avec mon père sont devenues très distantes. Je savais qu'il avait une profonde affection pour moi, mais il faisait tout pour la dissimuler. La tendresse paternelle est considérée comme une certaine forme de faiblesse.

La première fois que j'ai vu mon sang, j'ai eu très peur. Personne ne m'avait jamais rien expliqué, ni à la maison, ni à l'école. Je suis tout de suite allée trouver ma mère pour lui demander ce qui m'arrivait. Elle s'est alors enfermée avec moi dans la salle de bains et elle m'a dit de me taire, de ne rien dire à personne, que c'était un secret, quelque chose de sacré. Je ne devais surtout pas en parler à mon père, ne surtout pas lui montrer ce qui m'arrivait.

Après, elle est allée chercher des bouts de chiffons propres, stérilisés, en me disant de faire très attention, de bien les cacher. Elle m'a expliqué qu'une fois souillés, je devais les laver et les stériliser sans qu'on me voie. Puis elle m'a répété qu'il fallait à tout prix que je n'en parle à personne, que je camoufle bien tout ça.

J'avais à peine douze ans et je ne comprenais pas ce qu'il y avait de mal. Par la suite, j'ai lu beaucoup de choses sur ce sujet. J'ai appris bien plus tard que le Coran considère les femmes qui ont leurs règles comme impures. Pendant le ramadan, elles peuvent manger ou boire entre le lever et le coucher du soleil, puisque de toute façon elles ne sont pas pures. Dans certaines tribus africaines au contraire, les femmes qui ont leurs règles sont vénérées. Chez les musulmans, c'est complètement négatif. Cette attitude est très difficile à supporter, surtout en pleine adolescence, alors qu'on a déjà du mal à vivre.

La poussée des seins n'a rien arrangé. Les miens sont apparus très tôt. J'avais l'air beaucoup plus vieille que mon âge. Je me voyais devenir une femme et je me détestais. Les hommes se retournaient sur moi, ils me poursuivaient de leurs regards. Je me mettais devant la glace et je me pressais la poitrine avec un foulard. J'aurais voulu qu'elle éclate, qu'elle disparaisse. Je voulais rester comme j'étais.

J'avais de moins en moins de contacts avec l'extérieur. Les barrières apparaissent avec la puberté. On garde les filles à la maison. Les parents ne font pas de différence entre les garçons et les filles tant qu'ils sont petits, mais à douze ans, toutes les portes se ferment. Il ne reste que la maison et l'école.

Je m'y suis habituée, petit à petit. Difficilement. Dès cet âge-là, je savais qu'un jour je partirais. Mais j'étais mineure et je devais me montrer patiente. Quand le moment viendrait, je saurais prendre mes responsabilités. Je savais que d'autres problèmes m'attendraient alors, mais je n'avais pas le choix. Quoi qu'il advienne, je serais forcée de m'en aller.

Tout me paraissait déjà réfléchi. Je me sentais comme investie d'une mission. Il fallait que j'arrive à bouleverser tout ça, à changer ma vie. Et ce que j'allais faire ne pouvait être que bien, pour moi comme pour les autres. J'étouffais déjà. Je suffoquais presque. Je voulais être indépendante, autonome, je ne supportais pas ces limites.

Pourtant, j'ai toujours été sûre que mes parents croyaient bien faire en agissant ainsi. J'essayais de comprendre ce qui me manquait. J'avais l'impression de ne pas exister vraiment. Qu'une moitié de moi était provisoirement morte. Une moitié que j'essayais de mieux connaître.

Je ne cessais de me voir comme un personnage double. Celui de la maison, celui que mes parents voulaient que je sois : le personnage provisoire. Et l'autre, celui était vraiment moi, que je dévoilerais un jour, mais ailleurs.

Si je restais, je savais que je ne pourrais jamais réaliser ce que je voulais, jamais m'affirmer telle que j'étais. Tant de choses simples m'étaient interdites, comme aller au théâtre ou au cinéma, tout bêtement. J'adorais aussi danser, et je voulais prendre des cours de danse. Mais danser, c'est montrer son corps, se dévêtir. Alors c'était hors de question. J'ai quand même réussi à convaincre mon père de me laisser faire de la gymnastique. J'étais assez douée, j'avais même commencé à faire de la compétition. Mais mes parents ont décidé que je devais tout arrêter, sous prétexte que l'entraînement était trop intensif et me prenait trop de temps...

Je ne pouvais pas non plus m'habiller comme je l'aurais voulu. Mes parents décidaient toujours pour moi. Ils m'achetaient mes vêtements eux-mêmes, souvent au marché parce que c'était moins cher. J'ai eu des vêtements très féminins dès l'adolescence. Toujours des jupes et des talons. J'avais horreur de cette féminité de petite fille, mais je n'avais pas le choix : je voulais créer le moins d'incidents possibles, paraître irréprochable.

A une époque, je ne quittais plus un grand tee-shirt noir, ordinaire, anodin, mais qui leur déplaisait. Je refusais de l'enlever. Finalement, ma mère m'a attrapée et l'a déchiré sur moi. Je ne l'ai pas supporté. Je me suis mise en colère, alors que d'habitude, je ne disais rien quand on me brutalisait. Cette fois, je les ai menacés d'aller voir l'assistante sociale du collège. Je la connaissais et je savais qu'au moindre problème, je pouvais faire appel à elle. Ils m'ont enfermée dans ma chambre et se sont mis tous les deux à me frapper. J'en avais le souffle coupé. A cause d'un malheureux tee-shirt...

Pourtant, je faisais tout pour éviter ce genre d'incidents, pour éviter de prendre des coups. Je n'aurais pas supporté d'être constamment en conflit avec mes parents. Je devais leur épargner ça, ne pas les rendre malheureux. Ils n'étaient pas entièrement responsables. Je ne pouvais pas les condamner. Pour eux aussi, le contexte était difficile.

J'avais décidé que ce qui importait avant tout, c'était la poursuite de mes études. Il fallait que j'aille le plus loin possible. J'étais très intéressée par les langues, et je rêvais d'aller en Allemagne ou en Angleterre, comme les autres filles de ma classe. Mais ce n'était même pas la peine d'en parler à la maison. Je connaissais d'avance la réponse.

A l'école, je n'avais pas beaucoup d'amis. Je préférais les filles plus âgées. Ma seule amie avait quinze ans, trois ans de plus que moi. A quinze ans, les filles maghrébines ont le choix entre deux attitudes : se résigner pour toujours et se laisser enfermer à la maison, ou tenter de s'en sortir en mentant et en jouant la comédie. Il faut forcément choisir entre les deux. Il n'y a pas d'autre alternative.

Mon amie avait décidé de s'en sortir. Elle me racontait ses mensonges pour gagner un peu de liberté, ses déboires avec son fiancé, son père, sa famille. Je l'écoutais. Je parlais peu. Une fois, je me suis quand même laissée aller à lui confier qu'un jour je partirais. Elle ne m'a pas crue, elle m'a traitée de folle et elle a éclaté de rire.

A seize ans, elle a disparu. Elle a quitté sa famille en catastrophe. Je n'ai jamais vraiment su pourquoi. Ils ne l'ont plus revue depuis et je n'ai plus jamais eu de ses nouvelles.

Plus tard, j'ai eu une autre amie qui est partie sur un coup de tête, elle aussi. Elle avait quinze ou seize ans. Sa mère l'avait surprise en train de fumer une cigarette. Le lendemain, elle avait disparu, avec un type. Elle a réapparu l'année dernière, mariée, avec deux enfants.

Moi aussi j'ai commencé à fumer, vers dix-sept ans, au lycée. J'étais contre, pourtant, parce que c'est trop nocif. Mais tous mes copains fumaient, alors je m'y suis mise! Finalement, je me suis rendue compte que je fumais aussi contre mes parents...

Ils étaient contre, mais pas uniquement parce que c'est mauvais pour la santé. Pour eux, la cigarette était synonyme de prostitution. Fumer est devenu pour moi un réconfort psychologique. Je transgressais un interdit, c'était stimulant. Mais pas question d'éveiller le moindre soupçon : je mâchais dix chewing-gums avant de rentrer à la maison. Quant aux cigarettes, je les gardais cachées sur moi ou je les confiais à mes amies.

Ma meilleure amie était une Française, Irène. On était très proches, je lui confiais absolument tout. Elle habitait tout près du collège et j'allais souvent déjeuner chez elle. J'avais trafiqué mon emploi du temps et le soir, je trichais d'une heure avec mes parents, pour pouvoir rester un peu plus longtemps avec elle. Mais il était inutile de chercher à se voir en dehors de ces moments-là...

Avec les autres filles maghrébines de ma classe, j'avais des rapports plutôt distants. Je ne les voyais qu'à l'école. Je discutais un peu avec certaines, mais j'avais l'impression d'avoir compris beaucoup plus de choses qu'elles. J'essayais de les provoquer, de leur ouvrir un peu les yeux sur ce qu'elles acceptaient. Mais je ne pouvais pas leur en vouloir si elles n'avaient pas envie de se poser ces questions.

Malgré tout ce que je pouvais dire ou faire, j'avais la réputation d'être quelqu'un de faible, de timide, renfermée, effacée même. Elles, elles étaient déchaînées, odieuses et surexcitées en classe. Dès qu'elles sortaient de chez elles, elles explosaient.

J'ai beaucoup souffert de ne pas avoir pu lire quand j'étais plus jeune. Comme j'étais une fille et l'aînée de la famille, j'étais destinée à rester à la maison pour y tenir mon rôle : m'occuper de mes sœurs, de mon frère, du ménage, de la cuisine. Je voyais ma mère fatiguée et j'essayais de la soulager comme je pouvais. Mes parents ont voulu faire de moi une adulte très jeune. Ils ne savaient ni lire ni écrire, et c'était moi qui remplissais les feuilles d'impôts et les papiers de la Sécurité sociale, moi qui signais mes propres carnets de notes ou ceux de mes frères et sœurs.

J'ai un peu sacrifié mes études pour eux, pour essayer de les épargner. J'avais tellement envie qu'ils s'en sortent. Quand ils avaient des difficultés, je m'occupais d'abord d'eux. Une fois qu'ils avaient tous les quatre terminé leurs devoirs, je m'occupais des miens. J'attendais que tout le monde aille se coucher et s'endorme, pour avoir enfin un silence complet. Souvent, je patientais jusqu'à minuit ou une heure du matin pour pouvoir commencer à travailler.

J'avais une chambre à moi, mais elle ouvrait sur celle de mes sœurs. Au début, mon frère dormait avec la plus petite de mes sœurs. Quand elle a grandi, il a eu sa propre chambre. Il a été le seul à avoir ce privilège.

Je n'ai jamais eu aucune intimité. Je n'ai jamais rien eu de très personnel. Vers treize ans, comme toutes les filles de cet âge, j'ai eu envie d'écrire un journal intime. Mais j'avais trop peur que mes parents le trouvent. Ils auraient comme violé mon âme, en découvrant qui j'étais vraiment. Alors, j'ai commencé à dessiner... Pour les lettres, c'était la même chose. Je demandais à mes amis de ne surtout jamais m'écrire. Mes parents auraient ouvert mon courrier. Alors, je préférais qu'on ne m'écrive pas. Ce que j'avais de plus précieux, je le gardais sur moi, caché dans mes vêtements, mon soutien-gorge en général, même pour dormir.

L'appartement était simple et sobre. Pour ma mère, le seul vrai luxe, c'était l'hygiène. Elle se fichait de ne pas pouvoir s'acheter tout ce qu'elle aurait aimé. Pour elle, ce qui importait, c'était qu'on soit en bonne santé et qu'on vive proprement. Cela devenait presque obsessionnel, maladif. Elle lavait par terre trois fois par jour dans la pièce principale où on se tenait en permanence. C'était là qu'on faisait nos devoirs, qu'on dînait, qu'on discutait, qu'on regardait la télé.

La télé, on n'avait pas le droit de la regarder beaucoup, ni de tout regarder. Mon père nous surveillait de près. Un simple baiser et il fallait tout de suite éteindre.

Comme dans toutes les familles méditerranéennes, il y avait toujours trop de bruit. La télévision est allumée, les autres parlent fort. On remonte le son de la télévision, ils parlent encore plus fort. C'est le souvenir que je garde, un bruit incroyable. Difficile de travailler, de lire dans ces conditions...

Mon niveau scolaire s'en ressentait. Je persévérais, je savais que je pouvais aller plus loin, mais j'avais un complexe d'infériorité à cause de mes difficultés en français. Mes professeurs me reprochaient d'être très faible à l'écrit, et je pensais l'être aussi à l'oral. J'avais l'impression de parler mal. A une époque, je n'ouvrais presque plus la bouche. Je suis devenue timide, complexée. Aujourd'hui encore, je cherche soigneusement mes mots, je fais attention.

A la maison, on parlait à la fois français et arabe. On mélangeait plus ou moins les deux dans une espèce de charabia maison... Avec mon frère et mes sœurs, on se parlait en général en français, mais des mots arabes se glissaient dans la conversation. Parfois, on avait des trous, on n'arrivait plus à retrouver un mot. Une fois, il nous a fallu trois jours pour traduire *majada*, oreiller...

A l'école, je devais faire un double effort par rapport aux Français d'origine pour maîtriser la langue. Mais plus tard, j'ai eu des facilités en anglais et en allemand, comme la majorité des élèves d'origine maghrébine. En seconde, j'ai fait de l'arabe littéraire. J'avais vraiment envie d'apprendre cette langue, de connaître son histoire.

Aujourd'hui, je parle encore arabe couramment. Je ne l'oublie pas, je n'ai aucun problème pour le reparler. Au contraire, c'est un plaisir. C'est ma langue maternelle, même si je suis née en France.

L'éducation religieuse des jeunes immigrés n'est pas aussi poussée qu'on le croit. Si elle est pesante dans la vie quotidienne à la maison, elle est en réalité assez peu contraignante. On se contente le plus souvent de respecter le ramadan. Dans beaucoup de familles, on ne pousse même pas les enfants à le faire.

Mes parents faisaient le ramadan, plus d'ailleurs par tradition que pour obéir à l'islam. Ils n'étaient pas très stricts sur la question. Mais comme on ne voulait pas manger devant eux, alors on s'y est mis tous les cinq aussi, quand on a eu l'âge.

Beaucoup de jeunes se prétendent musulmans sans savoir au juste s'ils le sont vraiment ou s'ils respectent le rite pour faire plaisir à leurs parents.

Ma mère faisait la prière, pas mon père. Ils n'ont jamais essayé de nous l'imposer. Ils étaient très ouverts de ce côté-là.

Quand j'ai commencé à faire le ramadan, vers treize ou quatorze ans, il me paraissait logique de respecter une certaine tradition. Et puis, c'est aussi une sorte de fête. C'est devenu une habitude, mais vers dix-huit ans, j'ai commencé à me poser des questions, comme beaucoup de jeunes à cet âge-là. Et ces questions sont devenues de plus en plus importantes. Je commençais à devenir sceptique, à avoir des doutes par rapport à l'islam. Je me demandais où était la vraie croyance, s'il n'y avait pas plutôt un mélange de culture, de traditions de et de religion.

Dès cet âge-là, j'ai commencé à faire des recherches, à lire le Coran, à parcourir la Bible. J'avais besoin de comprendre, de savoir si ça servait vraiment à quelque chose. Curieusement, j'ai commencé par l'Ancien Testament. Je l'ai lu comme un livre ordinaire, j'aimais bien l'histoire. Après, seulement, je me suis mise au Coran. Les passages sur les femmes m'intéressaient tout particulièrement. A mesure que j'avançais dans ma lecture, mon scepticisme augmentait. Je ne me retrouvais pas dans cette religion et je ne voyais pas pourquoi j'aurais dû mentir à un Dieu que je ne reconnaissais pas.

Finalement, je me suis rendu compte que je ne me sentais pas musulmane. J'ai d'abord pensé l'avouer à mes parents. Et puis j'ai décidé qu'il valait mieux poursuivre ce que j'avais entrepris étant petite, et continuer à faire semblant. Même s'ils n'étaient pas très stricts sur cette question, je savais que le jour où je leur avouerais la vérité, j'irais au-devant de sérieux problèmes.

Mais je n'arrivais plus à me forcer, puisque je n'y croyais pas. Devant mes parents, je faisais le ramadan. Et dès que j'étais dehors, je fumais, donc je cassais mon ramadan. Plus tard, j'ai eu des rapports sexuels, aussi.

A cette époque, déjà, j'entendais parler de filles retenues contre leur gré en Algérie. J'étais déjà hantée par cette idée.

C'est arrivé à une de mes amies, à seize ans. Elle s'était enfuie de chez ses parents, et quand elle est revenue, ils l'ont enfermée pendant trois mois dans la famille, en Algérie. Le pire, c'est qu'elle n'a pas été emmenée là-bas de force, mais par le procédé employé dans la plupart des cas : on part en vacances et on ne revient pas.

A l'époque, je ne voulais pas croire que mes parents fussent capables un jour de faire la même chose. J'étais irréprochable. Mais je songeais quand même que mon père connaissait bien la famille de cette amie. Il pouvait bien se dire que j'étais capable de devenir comme elle et préférer prendre les devants en m'expédiant là-bas. Cette idée m'est devenue de plus en plus pesante. Je me suis mise à y penser souvent, et j'en suis venue à avoir peur.

J'avais sans cesse en tête cette phrase de ma mère : « Attention aux garçons. » Cette maudite phrase qui ne voulait rien dire, mais qu'elle n'oubliait jamais de me répéter dès que je mettais le nez dehors. A force, c'est un conditionnement incroyable. Un conditionnement physique, même. Toutes petites, les filles apprennent d'instinct à adopter devant les hommes un comportement spécial, fait de réserve, de décence, de retenue et de pudeur. Ne pas trop leur sourire, éviter le plus possible de leur parler, ne leur adresser aucun geste, ne rien accepter d'eux.

A l'école, je devais faire un énorme effort sur moi-même pour avoir des rapports normaux avec les garçons. Je manquais totalement de confiance en moi. Ils me faisaient peur. Il y avait en eux quelque chose de mystérieux et d'interdit.

A quinze ans, je suis tombée amoureuse. Un amour parfaitement platonique. Il s'appelait Frédéric. On ne se parlait même pas, on se jetait simplement des coups d'œil à la dérobée. Tout se passait dans le regard.

Mais j'étais amoureuse. J'ai eu le malheur d'en parler à une amie trop bavarde, celle que ses parents ont envoyée en Algérie. Elle l'a raconté à tout le monde, si bien que l'histoire est arrivée aux oreilles de mes sœurs. Un jour, je venais de les gronder, elles se sont mises à chantonner : « Elle est amoureuse, elle est amoureuse... » C'était juste pour s'amuser, elles n'y mettaient aucune mauvaise intention. Malheureusement, ma mère a tout entendu. Elle s'est précipitée dans la pièce et leur a posé plein de questions : de qui j'étais amoureuse, comment il s'appelait, où il habitait... Après, elle s'est enfermée dans la chambre avec moi en hurlant. Elle a ramassé une ceinture et elle m'a frappée, frappée, frappée, aussi fort et aussi longtemps qu'elle a pu.

Mais je suis restée amoureuse de lui. Longtemps. Toujours de façon platonique. Un an après, j'en rêvais encore. Je ne lui ai jamais adressé la parole !

A dix-sept ans, je me suis dit que je n'allais pas rêver d'amour toute ma vie, qu'il allait falloir que je m'y mette, que je « concrétise » ! J'étais très complexée, je me trouvais trop laide. Mais avant tout j'avais peur : des garçons, bien sûr, mais plus encore de mes parents.

S'ils savaient... Le premier que j'ai embrassé, c'était en Algérie ! Un voisin qui n'était même pas algérien, un coopérant français, brun, beau garçon, qui avait au moins cinq ans de plus que moi. On se voyait sur la terrasse qui reliait sa maison à la nôtre. Mes sœurs faisaient le guet. Elles s'amusaient beaucoup, c'était comme un jeu secret entre nous. Moi j'étais très fière, heureuse d'avoir franchi ce pas, d'avoir enfin osé. Après, je suis rentrée en France et je suis sortie avec d'autres garçons, toujours en prenant des précautions incroyables pour que mes parents ne se doutent de rien.

Je n'allais jamais jusqu'à faire l'amour avec eux, je n'étais pas encore prête. Il fallait que je m'habitue doucement à cette idée. Les garçons que je fréquentais ne se doutaient pas de mon problème. La virginité, chez nous, c'est tellement important! Surtout pour préserver l'honneur des parents. Tout l'honneur de la famille repose sur la virginité de la jeune fille à marier. On se sent comme dépossédée de son propre corps dans ce qu'il a de plus intime. Ma mère m'avait appris depuis toute petite qu'une fille qui n'est pas vierge est *fessda*, pourrie. Vierge ou dépravée, il n'y a pas d'autre alternative. Mais ce n'était pas cela qui me retenait. J'avais surtout besoin de savoir ce que moi, je voulais vraiment.

La même année, j'ai failli me faire violer. J'étais invitée à l'anniversaire d'une amie. Tous mes copains de l'époque s'y trouvaient. A force de patience et de coups de téléphone de ses parents, j'avais pour une fois réussi à convaincre mon père. Ma mère était à l'hôpital, il était soucieux, il a fini par céder. Je rayonnais.

C'était l'hiver, vers sept heures du soir. Mon amie m'avait fait un plan pour m'expliquer comment me rendre chez elle. J'avais raconté à mon père, qui était avec ma mère à l'hôpital, que ses parents viendraient me chercher. Sinon il ne m'aurait jamais laissé sortir

Et je me suis perdue. J'ai demandé mon chemin à un jeune type en mobylette. J'étais assez loin. Dix minutes plus tard, le type est revenu pour me proposer de m'accompagner. J'avais froid, je commençais à paniquer un peu et c'était plutôt gentil de sa part. J'ai accepté... Et là, il m'a entraînée dans un terrain vague, un chantier d'autoroute. Il a jeté sa mobylette par terre, il m'a sauté dessus avec son casque sur la tête, et il m'a murmuré à l'oreille : « Ne t'inquiète pas, je vais être très doux. »

Je ne pouvais même plus crier, même plus parler, rien ne sortait. J'ai pensé très vite qu'après je me tuerais, parce que je ne pourrais jamais assumer ça en face de mes parents.

Il a commencé à me déshabiller. Et à ce moment précis, j'ai hurlé : « Mon père, qu'est-ce qu'il va dire, comment je vais lui dire... » Aussitôt le type s'est relevé et il s'est excusé. Il voulait me dédommager, me donner de l'argent... Il m'a finalement emmenée à l'endroit que je cherchais.

J'ai pleuré bien après, j'en ai fait des cauchemars longtemps. Mais je ne l'ai jamais raconté à
mes parents. Jamais. Pas une seule seconde, je
n'avais pensé à moi... Seulement à mon père.

Je ne connaissais l'Algérie qu'au travers de la
famille, à qui l'on rendait visite presque tous les
étés. Pour moi, c'étaient les vacances, les seules
que j'aie jamais connues. Mon frère et mes sœurs
partaient souvent en colonie. Moi pas. J'étais
l'aînée, je devais rester auprès de mes parents.

En réalité, c'étaient de drôles de vacances. On
allait surtout rendre visite à la famille. On se libé-
rait juste quatre ou cinq jours pour aller au bord
de la mer.

Au début, des oncles ou des tantes nous héber-
geaient. Il fallait faire des tas de cadeaux, apporter quelque chose à chacun et surtout n'oublier
personne. Ils étaient toujours très envieux de ce
qu'on avait. Ils pensaient que notre niveau de vie
était très élevé et ils nous demandaient toujours
plein de choses : des vêtements de haute couture,
des parfums... On achetait tout chez Tati ou au
supermarché du coin!

A force, ils ont fini par reprocher à mes parents
ces visites annuelles. Alors mon père a décidé de
se faire construire une maison, pour qu'on puisse
venir chez nous, sans avoir de comptes à rendre à

personne. Du coup, on n'allait même plus au bord de la mer, on travaillait tout le temps sur la maison. Elle était en pleine ville, une petite maison à deux étages, avec terrasse. Du carrelage partout ; l'hiver il y faisait très froid. On dormait tous dans la même pièce. Chaque année, on rapportait quelque chose : un réfrigérateur, un placard, des vêtements.

Ma mère a six frères et sœurs, mon père cinq. Quand j'étais petite, c'était un plaisir de découvrir cette famille qui nous chérissait tellement. Leur vie me paraissait très gaie. On assistait à des fêtes, à des mariages. Et pour moi, c'était toujours très réconfortant de voir mes parents retrouver les leurs. En France, loin de leurs proches, ils n'étaient pas tout à fait chez eux.

Moi aussi, finalement, quelque chose de très fort me liait à ces gens. Mes racines resurgissaient. J'éprouvais toujours une grande joie à retrouver mes cousines. Elles me racontaient que la vie était très dure pour les femmes en Algérie, et m'enviaient de vivre en France. Déjà endurcies par la vie algérienne, elles allaient à l'école, mais leurs relations avec les hommes étaient très difficiles. Leur haine des hommes me paraissait incroyable.

Mais elles les côtoyaient quotidiennement et connaissaient leur comportement par cœur. A l'époque, je n'avais pas la même vision, mais je n'étais que de passage. Je ne me rendais pas compte, même si je voyais leur souffrance.

Je sentais malgré tout le poids de l'homme présent partout. Des femmes qui n'osaient même pas regarder leur mari, qui s'enfuyaient en entendant ses pas... C'était un climat étrange.

Avec ma mère et mes sœurs, on en arrivait à se conduire comme elles. Ils finissaient par nous faire peur, ils se comportaient comme des rois, à attendre d'être servis, avec tous les droits sur nous.

Beaucoup de filles rêvent d'aller vivre là-bas, en Algérie, parce qu'elles y ont passé des vacances, que tout allait bien, qu'il faisait beau. Elles en ont marre du racisme, du chômage, de la France... Mais la vie estivale n'a rien à voir avec la vie quotidienne. Absolument rien.

J'ai fait une première tentative de fugue à dix-sept ans, au mois de juillet. Je venais de passer, avec succès, mon bac de français. Je voulais partir et revenir ensuite, pour provoquer quelque chose, faire réagir mes parents.

J'ai fait comme si je partais définitivement. J'ai pris toutes mes affaires et je suis partie avec mes sacs, une journée entière. Une seule journée...

Tout était calculé depuis plusieurs mois. Mes affaires étaient prêtes dans l'armoire, pour que je puisse faire mes sacs très vite, et les sacs posés de telle sorte que je puisse les prendre sans faire de bruit. Je n'avais qu'une crainte, c'était de réveiller toute la maison.

Je n'ai pas fermé l'œil de la nuit, de peur qu'on me surprenne. Et puis je suis partie à l'aube, sans qu'on m'entende, et j'ai pris le premier bus en direction du centre-ville, pour qu'aucun voisin ne m'aperçoive.

J'avais préparé mon coup avec une amie du lycée qui devait m'accueillir chez elle. Mais elle m'a laissée tomber au dernier moment et elle n'est pas venue au rendez-vous que nous nous étions fixé. J'étais désemparée, je ne savais plus où aller. J'ai fini par téléphoner d'un café à mon amie Irène. Chez moi, personne ne la connaissait.

J'ai passé la journée chez elle. Et mes parents ont téléphoné... La seule chose que j'avais oubliée en partant, c'était mon agenda! Alors ils ont fait le tour de mes amis.

Les parents d'Irène étaient d'accord pour répondre qu'ils ne m'avaient pas vue, mais mon père a eu un doute et il est venu voir. Je l'ai entendu arriver et je me suis cachée. Ils ont continué à faire comme si je n'étais pas là, tout en essayant de rassurer mon père et de discuter avec lui pour savoir pourquoi j'étais partie. Lui semblait inquiet, mais très calme. J'entendais toute la conversation d'où j'étais, et j'avais des remords d'être partie, de lui avoir fait ça.

Il est reparti mais il avait tout compris. Il a rappelé une demi-heure plus tard et ils ont fini par lui avouer que j'étais bien chez eux.

On a tenté de discuter tous ensemble, les parents d'Irène, mon père et moi. Il n'osait même pas me regarder dans les yeux. J'essayais de vider mon sac, de lui dire pour la première fois ce que j'avais sur le cœur, combien je me sentais mal dans ma peau, enfermée, coincée. J'aurais voulu qu'il sache enfin qui j'étais vraiment.

Il n'a pas voulu comprendre. La discussion est restée superficielle : pourquoi tu ne manges pas, pourquoi tu travailles mal, pourquoi tu t'habilles mal. Il ne voulait pas aller au fond des choses.

J'avais très peur de me faire taper dessus une fois à la maison, mais le retour s'est passé calmement. Il m'a simplement dit que ce que j'avais fait était terrible, que je leur avais fait du mal, à tous. Ma mère et mon frère étaient effondrés. Tout le monde pleurait. Personne ne comprenait mon geste. Pourtant, j'éprouvais un soulagement, comme si j'avais réussi à déclencher quelque chose qui allait enfin changer ma vie.

Le temps a passé. Rien n'a changé. Je me répétais que je devais être patiente, continuer mes études, passer au moins mon bac. Après, j'aviserais.

Ils me surveillaient comme avant. Rien n'avait bougé. Je devais rendre les mêmes comptes ; et c'était toujours la maison, l'école, la maison, sans autre ouverture sur l'extérieur. Je ne me faisais plus d'illusions : jamais je ne pourrais avoir un vrai dialogue avec mes parents. Tout irait toujours dans un seul sens et je devais m'y résoudre.

C'est à cette époque que j'ai compris que les choses étaient immuables et que c'était à moi de choisir. Choisir de rompre avec eux, ou me résigner totalement et respecter les traditions pour leur faire plaisir. Mais une telle résignation, pour moi, c'était le suicide au bout. Alors, j'ai continué à feindre, à faire comme si, en sachant que j'allais les quitter, pour toujours sans doute, en attendant le moment propice.

Les seuls moments où je me supportais, où je me sentais à peu près bien, c'était au lycée. Là, je pouvais m'exprimer, parler, raconter.

Cet été-là a été lugubre. Nous ne sommes pas partis en vacances. Je me suis ennuyée à mourir. Je n'ai vu personne, pas une seule amie en deux mois.

L'année suivante, je suis entrée en terminale et j'ai rencontré Antonio, un jour, chez des amis. Je suis tombée vraiment amoureuse, pour la première fois. Il habitait un studio tout près, presque trop près de chez mes parents, dans le même immeuble. C'était pratique, mais pas facile : personne ne devait me voir entrer ou sortir de chez lui.

Pendant un an, nous sommes sortis ensemble sans que personne ne s'en aperçoive. J'arrivais à le voir de temps en temps, en racontant que j'allais chez une amie. Les parents de cette amie, qui étaient dans le coup, téléphonaient aux miens, qui finissaient par me laisser sortir.

J'essayais de me montrer irréprochable. Je faisais tout le ménage à la maison pour pouvoir sortir une heure l'après-midi. Ma mère le remarquait et me trouvait bizarre. Alors je me calmais. Il fallait jouer la comédie à fond, mais sans trop forcer quand même.

Antonio était souvent entouré d'amis. Je ne pouvais pas le rejoindre le soir, c'était trop dangereux. Mais on arrivait quand même à passer des moments agréables tous les deux. Au lycée, j'avais des heures sans cours, on se donnait rendez-vous. C'était très risqué, mais ça marchait... Si quelqu'un avait raconté ça à mes parents, l'image que je m'étais fabriquée aurait été anéantie. Et je ne voulais pas prendre ce risque, parce que je n'étais pas encore décidée à partir.

Mais je commençais à mûrir. Surtout par rapport à la religion. C'est à cette époque que j'ai compris, en faisant le ramadan, que je ne croyais pas. J'ai peu à peu réussi à faire la part des choses, à dissocier mes propres désirs de ceux de mes parents. J'ai réalisé que mon corps m'appartenait, que mes parents n'avaient rien à voir là-dedans, que ça ne les regardait pas. J'en étais convaincue et je me sentais soulagée.

Antonio a été le premier. Pas un premier comme tout le monde en a eu. J'avais dix-neuf ans et toutes mes amies « l'avaient déjà fait ». Mais pour moi, c'était vraiment quelque chose de très important, de très grave. Antonio s'est rendu compte de l'importance qu'avait pour moi la virginité. Il ne connaissait rien à l'islam. Je lui ai expliqué, j'ai voulu lui faire partager un peu de ma culture, pour qu'il sache bien avec qui il était...

Je lui ai dit que je n'avais jamais eu de rapports sexuels, que je ne savais pas si j'en aurais avec lui. Il a très bien réagi, en m'expliquant qu'il était bien avec moi quoi qu'il arrive. Il n'a pas insisté et n'en a pas reparlé. J'étais rassurée. C'était exactement le contraire de ce que ma mère m'avait dit sur les hommes.

Finalement, c'est moi qui ai fait le premier pas. J'ai senti que le moment était venu, qu'il fallait que ce soit avec lui... J'ai pris rendez-vous dans un centre de planning familial, pour avoir la pilule. Je suis allée dans une autre ville, en me cachant, en prenant mille précautions, terrorisée à l'idée que mes parents puissent l'apprendre. Ils n'ont jamais su. Je gardais ma plaquette de pilules sur moi en permanence, cachée dans mon soutien-

gorge. C'était le seul endroit sûr, ma seule véritable intimité.

Quand je me suis vraiment sentie prête, j'ai dit à
Antonio : «Voilà, je veux bien.» Et ce jour-là,
j'étais vraiment heureuse d'avoir franchi ce pas.
J'avais l'impression de m'appartenir un peu plus.

Pourtant, je l'avais prévenu dès le début qu'il
allait sans doute au-devant de graves problèmes.
Je ne crois pas qu'il ait compris, à l'époque...

Je n'ai pas eu mon bac. L'année s'était très mal
passée à la maison. Je m'entendais de moins en
moins bien avec la plus âgée de mes sœurs. Elle
faisait tout pour me coincer, et c'était elle qui pro-
voquait les conflits avec mes parents. Elle a toujours été très autoritaire et possessive, même vis-
à-vis de mes autres sœurs, et je pense qu'elle était
jalouse de mon statut d'aînée.

Cette année-là, la période de ramadan est tombée au moment du bac, et c'était très dur. Les
conflits avec ma sœur étaient incessants. Quand
j'essayais de réviser, elle mettait la musique à
fond dans sa chambre. Si je lui demandais de
baisser, elle hurlait. Mes parents s'en mêlaient et
tout finissait par retomber sur moi.

Les résultats, je suis allée les voir avec Antonio.
Je n'étais pas seulement triste, j'étais désespérée.
C'était tellement important pour moi de réussir.

Je suis rentrée à la maison. Mon père attendait. Dans la foulée, je lui ai avoué que non seulement j'avais raté mon bac, mais qu'en plus je n'avais pas fait le ramadan ce jour-là parce que je me sentais trop mal. Il s'est mis en colère et m'a traitée de tous les noms. Pour lui, le ramadan avait l'air encore bien plus important que mon bac...

En juillet, j'ai continué à voir Antonio de temps en temps, mais c'était plus difficile en période de vacances. En août, je suis partie en Algérie. Des vacances épouvantables, un été entier enfermée à la maison. Mes parents se disputaient violemment sans arrêt, à cause de ma grand-mère paternelle qui ne supportait pas ma mère. Cet été-là, mon père était sans arrêt chez elle, à discuter. J'ai gardé de cette période une image que je n'oublierai jamais : ma grand-mère était assise par terre, mon père a mis une sorte de djellaba blanche et il s'est allongé sur ses genoux. Et elle l'a caressé, comme un bébé, en regardant ma mère. Lui avait l'air très content.

Quand il parlait avec ma grand-mère, il avait l'air d'un petit enfant, alors qu'il était capable d'une agressivité incroyable à l'égard de ma mère...

J'ai compris cet été-là que j'étais différente, que ce pays n'était pas le mien et ne le serait jamais. Mes cousines se mariaient les unes après les autres, et elles étaient tout le temps enceintes. Elles devaient absolument donner un garçon à leur mari, à leur belle-mère. Quand le « mâle » tant attendu naissait enfin, parfois après quatre ou cinq filles, elles étaient enfin comblées, enfin femmes.

Je ne pouvais plus supporter l'Algérie, cette ambiance étrange, ces histoires de famille que je saisissais mal. Je m'étais juré que c'était terminé, que je n'y mettrais plus les pieds. Et j'ai décidé de quitter mes parents, pour de bon, cette fois.

On est rentré en France très tard, à la mi-septembre. Tous les avions pour le retour étaient complets. Antonio s'inquiétait, il se disait qu'on ne reviendrait pas, il commençait déjà à avoir des doutes.

Il avait fini son diplôme de Sciences-Éco et il aurait dû repartir pour toujours en Italie après ses examens de juin. Il n'avait jamais été question que je parte avec lui. On s'était simplement promis de rester amis et on s'était dit au revoir, tristes mais résolus à ne rien changer. Je ne m'attendais pas à le revoir en rentrant, mais il avait raté une partie de ses examens et devait les repasser en septembre.

J'étais décidée à partir, vraiment, définitivement et très vite. Je ne savais pas au juste où j'irais. Je n'avais rien, pas un sou, et je n'avais même pas terminé mes études... Mais j'étais enfin majeure et j'avais déjà perdu assez de temps.

J'ai prévenu le proviseur du lycée. Il s'était déjà

intéressé à moi quand j'avais raté mon bac. Il m'avait convoquée pour me conseiller de persévérer, parce que j'étais considérée comme une élève sérieuse. Il m'a demandé pourquoi je n'étais pas venue le voir plus tôt, en me disant qu'il allait trouver une solution, un foyer.

Je suis aussi entrée en contact avec une avocate. Je craignais des représailles si on me rattrapait et je voulais savoir comment me protéger. Elle m'a simplement répondu qu'elle ne pouvait rien faire pour moi, parce que j'étais majeure. Théoriquement mes parents n'avaient plus aucun droit sur moi...

Mais je redoutais le pire. Je m'attendais même à ce que mon père me tue s'il me retrouvait. J'avais tenté de prendre les devants et on me répondait que je ne pouvais espérer aucune protection...

Je pensais amèrement que le jour où on découvrirait mon cadavre, alors, on ferait peut-être quelque chose.

Je suis partie quand même. Comme la première fois, j'ai pris toutes mes affaires et je me suis cachée chez des amis. Mes parents me cherchaient partout. Pas un instant ils ne se sont doutés que je sortais avec Antonio.

J'étais tellement terrorisée à l'idée qu'ils me retrouvent – je savais cette fois que les conséquences seraient terribles – que j'ai décidé de partir chez les parents d'Antonio en Italie. Il avait enfin repassé ses examens et devait rentrer pour faire son service militaire.

Mes parents s'inquiétaient beaucoup. Je les ai appelés une seule fois, pour leur dire que j'étais très loin, en bonne santé et heureuse. Et j'ai raccroché le plus vite possible.

Chez les parents d'Antonio, j'étais heureuse, j'apprenais l'italien, je m'adaptais bien. Lui multipliait les démarches administratives pour partir faire son service le plus tôt possible et en être débarrassé. J'essayais de chercher du travail, pour ne pas être à la charge de sa famille. J'avais été très bien accueillie, mais ses parents restaient quand même un peu réticents...

Un mois a passé dans un calme relatif, jusqu'au jour où la mère d'Antonio a invité une amie de la famille à déjeuner. Le lendemain matin, je me suis levée dans une ambiance épouvantable : on me regardait d'un air bizarre, personne ne m'adressait la parole. L'amie de la famille avait raconté à tous les voisins que j'étais une petite prostituée française qu'Antonio avait ramassée sur le trottoir... On m'a alors bien fait sentir que j'étais de trop. Le père d'Antonio étant commerçant, tous ces ragots étaient catastrophiques pour sa clientèle... Je ne voulais pas d'histoires ni de nouveaux problèmes, et j'ai pris la décision de repartir en France. Antonio ferait son service militaire en Italie et je l'attendrais en travaillant.

Je suis retournée me cacher chez les mêmes amis et j'ai repris contact avec le proviseur du lycée qui m'a promis de trouver un foyer pour m'héberger. Mais au bout d'une semaine, Antonio a « craqué ». Il n'a pas répondu à l'appel de l'armée. Il a pris le premier train pour la France, sans rien dire à ses parents. On s'est retrouvé tous les deux à errer, sans appartement, sans travail, sans argent. Je n'étais pas retournée au lycée : je me cachais de mes parents et je ne sortais que la nuit. On habitait à droite, à gauche, chez des amis. C'était difficile à vivre pour eux comme pour nous, et c'est vite devenu insupportable.

Le proviseur du lycée s'efforçait de trouver une solution adaptée à notre situation. Il m'a finalement conseillé de reprendre mes études, de refaire une terminale pour passer mon bac.

J'ai aussi commencé à téléphoner de plus en plus souvent à mes parents, pour leur dire de ne pas s'inquiéter, que j'étais rentrée, que j'allais bien. Ils me manquaient...

C'est alors que le proviseur m'a proposé d'organiser une rencontre avec mon père. Je le verrais en sa présence en toute sécurité.

Ce furent des retrouvailles incroyables, de vraies retrouvailles... Dans le bureau du proviseur, mon père s'est effondré, en larmes. Je ne l'avais jamais vu aussi ému, ni sans doute aussi heureux.

Il tenait ma main serrée dans la sienne en répétant qu'il ne comprenait pas pourquoi j'étais partie, ni comment j'avais pu lui faire tant de peine. Il ignorait encore que j'étais partie avec Antonio, il ne savait rien de notre histoire. Je n'en ai parlé que plus tard : je ne voulais pas qu'ils croient que j'étais partie à cause de lui. Il fallait qu'ils sachent que je l'avais fait pour moi, et que je l'avais décidé toute seule.

Mon père a semblé comprendre... L'air malheureux, il m'a dit que j'étais libre de partir, puisque j'étais majeure. Il a ajouté que je pourrais attendre un peu, finir mes études d'abord. Il ne comprenait pas que je ne puisse plus supporter de vivre avec eux. J'étais tellement différente de celle qui avait vécu chez eux pendant dix-neuf ans...

Je ne suis pas repartie avec lui. Je lui ai expliqué que c'était un choix définitif, et que lui aussi allait devoir s'habituer doucement à ma nouvelle vie. Je le voyais de temps en temps, je lui téléphonais surtout. J'habitais toujours chez des amis mais j'avais repris le lycée, résolue à décrocher mon bac.

Un jour, à la mi-novembre, j'ai décidé d'aller voir ma mère à la maison. Toute la famille était là quand je suis arrivée. Cette fois, je leur ai appris officiellement l'existence d'Antonio. Ils n'ont rien dit de particulier, tout le monde est resté très calme. Ils avaient surtout l'air heureux de me revoir.

Courant décembre, Antonio a trouvé un studio dans la même ville que mes parents, et je leur ai annoncé qu'on s'était installés ensemble. Mon père a eu une attitude incroyable : il a tout accepté. Quand j'habitais chez eux, je n'avais jamais pu dormir ailleurs, même chez une amie. A présent, je découchais, j'habitais avec un garçon et ils restaient sans réaction... J'étais sidérée. Et heureuse, surtout, tellement heureuse. Je baignais dans un bonheur bizarre, dans une sorte d'euphorie irréelle.

Noël approchait. Malgré leur religion, mes parents ont toujours fêté Noël, avec réveillon, sapin, guirlandes et cadeaux, comme n'importe quelle famille française. A un détail près : chez nous, il n'y a jamais eu de crèche...

Pour Noël, j'ai décidé de partager la fête. Je passerais la première partie de la soirée en famille, et la seconde avec Antonio et des amis. Tout s'est passé à merveille. Mes parents semblaient très heureux. Je n'en revenais pas qu'ils prennent les choses aussi bien, mais j'étais comblée.

Ce soir-là, mon père m'a parlé du mariage d'un cousin qui aurait lieu en Algérie quelques jours plus tard. Il m'a proposé d'aller assister à cette fête pour me changer les idées et me reposer un peu. Il m'a expliqué qu'il tenait à ce que je sois présente pour le représenter et parce que la famille se posait des questions à mon sujet. Je devais partir en avion le surlendemain de Noël, pour deux ou trois jours seulement. J'avais dit à mes parents que je voulais bien venir, mais pas plus longtemps, à cause de mes études. Je devais repasser mon bac à la fin de l'année et j'avais déjà pris du retard sur le programme.

J'ai passé la nuit de Noël avec Antonio. Je lui ai dit que j'allais partir en Algérie pour deux ou trois jours, qu'il n'avait pas à s'inquiéter, que j'allais revenir très vite. Il a insisté pour que je lui laisse ma carte d'identité. Je lui ai répondu qu'il était ridicule, qu'il n'y avait rien à craindre. Je refusais de croire qu'il puisse m'arriver quoi que ce soit, j'étais trop heureuse pour vouloir même l'envisager.

Le lendemain matin, je suis allée avec mon père faire des courses pour la famille. Il a alors décidé qu'on prendrait l'avion l'après-midi même.

C'était assez précipité. Je devais appeler Antonio pour le prévenir, mais je n'ai pas pu : le téléphone de mes parents était en dérangement, et à l'aéroport, je n'ai pas eu le temps. Je m'en voulais de ne pas le prévenir que je partais ce jour-là. Je l'ai payé très cher.

DEUXIÈME PARTIE

J'ai fini par partir avec ma mère et ma sœur cadette. Mon père, lui, devait rester pour travailler et s'occuper de mon frère et de mes autres sœurs. Et surtout, le voyage aurait coûté trop cher pour tout le monde.

De l'aéroport, au moment où l'on passait la douane, j'ai gardé cette image impressionnante de mon père : cramponné à la vitre, il pleurait. Je voyais ses larmes couler et son corps secoué par les sanglots. Je ne l'avais jamais vu pleurer aussi fort, mais j'ai cru qu'il était simplement très ému. J'aurais voulu lui dire de ne pas se mettre dans un état pareil : trois jours, c'était vite passé.

J'étais très troublée par cette scène, mais à aucun moment je n'ai douté. L'idée que j'aurais pu rester là-bas ne m'a pas effleurée. Plus jeune, j'y aurais sûrement pensé, mais cette fois, ils m'avaient mise en confiance. J'étais sûre qu'ils ne pouvaient pas me trahir, qu'ils étaient profondément sincères. J'étais certaine de rentrer trois jours plus tard.

Le mariage a eu lieu le lendemain de notre arrivée. C'était un mariage très sobre, sans musique ni danses. Le cousin qui se mariait était un Frère-Musulman. La mariée était invisible, complètement voilée par un drap blanc.

Nous étions déçues : normalement, les mariages algériens sont très gais, très exubérants. Celui-là était plutôt triste. Mais la famille paraissait contente de nous voir. Notre venue n'avait rien d'extraordinaire : ma mère venait assister à presque tous les événements de ce genre.

Après le mariage, nous sommes allées chez ma grand-mère. Elle venait de nous servir à dîner quand le téléphone a sonné. C'était mon père qui voulait parler à ma mère. Ce n'est qu'à ce moment-là qu'il lui a annoncé que je restais ici, que la France, c'était terminé pour moi. Ma mère ignorait totalement qu'il avait pris cette décision. Je l'ai longtemps soupçonnée d'avoir joué la comédie, d'avoir été sa complice. Mais elle n'y était pour rien. Elle ne savait pas. Quand elle a raccroché le téléphone, ses mains tremblaient ; elle m'a dit, en criant presque : « Ton père a décidé que tu restais ! »

J'ai éclaté en sanglots et j'ai hurlé : « Mais de quel droit ? » Et ma mère s'est mise à pleurer aussi.

Je me suis précipitée dans la pièce d'à côté pour vérifier si mes papiers français étaient toujours là. Mais il était trop tard, tout avait déjà disparu.

Je sais aujourd'hui que ma grand-mère avait tout combiné avec mon père et que c'est elle qui a pris mes papiers. Ma mère était prisonnière dans cette histoire : mon père l'avait menacée de la laisser aussi en Algérie si elle prenait mon parti. Ma grand-mère était chargée de s'assurer qu'elle me surveillait bien, qu'elle faisait tout comme il l'ordonnait.

J'avais été piégée et cela m'humiliait profondément. Je me sentais trahie par ceux que j'aimais le plus.

Ma mère et ma sœur sont restées trois mois en Algérie. Tout au début, ma mère souffrait autant que moi, elle n'arrivait pas à croire ce qui se passait. Puis elle s'est plus ou moins résignée et s'est rangée du côté de mon père. C'était la seule solution pour elle si elle voulait rentrer en France. Ma sœur a réagi tout à fait autrement. Elle ne se rebellait pas du tout. En France, pourtant, elle allait à l'école, elle avait sa vie, ses amis. Mais au lieu de me soutenir, elle s'est dressée contre moi.

Au début, mon père appelait tous les deux ou trois jours pour avoir des nouvelles. Quand je l'ai eu au téléphone la première fois, j'ai craqué. J'ai fait précisément ce qu'il ne fallait pas faire : je l'ai injurié, je l'ai traité de salaud, et je le pensais vraiment, du fond du cœur. J'ai juré de le haïr toute mon existence. Toute la famille s'est jetée sur moi, horrifiée que j'ose parler à mon père sur ce ton. Je les ai tous injuriés à leur tour... Alors ils m'ont menacée d'appeler la police. Je criais et ils avaient peur du scandale, des voisins. Ils avaient honte.

Je ne savais plus ce que je faisais. J'ai hurlé que j'allais me tuer, que c'était terminé, qu'ils allaient être débarrassés de moi. J'ai foncé dans la cuisine pour prendre un couteau. Je voulais me l'enfoncer dans le ventre. Ce n'était pas de la comédie : j'avais envie de mourir tout de suite, tellement envie. Une vraie crise de désespoir et de folie. Je ne pouvais pas supporter d'entendre mon père me dire que j'allais être bien ici, alors que je souffrais tellement.

Ils m'ont saisie par les bras et les jambes. Tout le monde était autour de moi. Finalement, ils ont réussi à me prendre le couteau. Ils l'ont fait à cause des voisins, du scandale. Pas pour moi. Ils se moquaient complètement de mon sort. Je me suis calmée, j'ai repris mes esprits. Les fois suivantes, quand mon père téléphonait, je n'essayais même pas de discuter avec lui. Je ne parlais qu'avec mes sœurs, mais on ne pouvait pas se dire grand-chose : toutes nos conversations étaient écoutées par mon père d'un côté, par ma mère ou ma grand-mère de l'autre.

Alors, au téléphone, on ne faisait que pleurer.

Je passais mes journées enfermée. On m'empê-
chait de sortir, et même, les premiers mois, de
regarder dehors.

J'ai cru d'abord que je parviendrais à
m'enfuir en profitant d'un moment d'inatten-
tion. Mais j'ai compris peu à peu que les obstacles étaient trop nombreux. La famille se
relayait à mes côtés, de sorte que j'étais surveillée en permanence. Je n'avais plus de papiers
français et au regard de la loi algérienne, j'étais
algérienne. Je savais que si on me trouvait dans
la rue, on me ramènerait sur-le-champ, et qu'on
me surveillerait ensuite deux fois plus. J'étais
prête à prendre ce risque, mais je calculais que
je n'aurais sans doute qu'une seule chance de
m'enfuir et il ne fallait pas la manquer.

Ma grand-mère pensait que j'étais possédée.
Sur ses conseils, ma mère a décidé de m'emmener voir un marabout. C'était en février, et j'étais
là depuis un peu plus d'un mois.

Le marabout habitait très loin au sud, dans les
Aurès, dans un endroit très retiré et désert. Je me
souviens surtout du paysage : magnifique, déser-
tique, impressionnant. Des montagnes sans végé-
tation à perte de vue. J'avais l'impression de me
retrouver sur la lune, sur une planète vierge. Ma

mère m'avait accompagnée avec l'une de mes
tantes. Elles ne pouvaient pas rester, mais elles
m'avaient promis de venir me rechercher au bout
de deux ou trois jours. Je suis restée une semaine.
Il s'est mis à neiger, toutes les routes étaient blo-
quées et ma mère ne pouvait pas revenir.

Le marabout, pour ceux qui y croient, est un
élu d'Allah, une sorte de saint. Les gens viennent
de partout pour se faire soigner. Il n'y a pas
d'hôpital à plusieurs centaines de kilomètres à la
ronde, alors ils consultent le marabout. Il y a
même des gens cultivés qui viennent le voir, par
exemple des étudiantes qui veulent se marier...
Certains ont des maladies vraiment très graves,
comme la tuberculose. La plupart vivent dans des
conditions d'hygiène effroyables, sans eau cou-
rante ni électricité.

Je me souviens qu'il y avait des gens qui
vivaient sous terre, dans des cavernes : des troglo-
dytes, très impressionnants parce qu'ils ont plein
de tatouages bleus sur le visage, surtout les
femmes. Elles sont agressives, et se disputent
souvent, même entre elles. Elles ont le visage
marqué par la vie très rude qu'elles mènent, et
sont couvertes de bijoux anciens.

Les femmes sont séparées des hommes pour la
nuit, mais le marabout soigne devant tout le
monde. Tout se fait publiquement, ce qui lui permet de montrer qu'il a bien des dons. J'avais donc

pu voir comment il s'y prenait avec les autres. Il lisait des versets du Coran, prenait un œuf sur lequel il écrivait quelques phrases du verset qu'il venait de lire, et le remettait à la personne qu'il était censé soigner. Le malade récitait ensuite lui-même les versets du Coran, puis il jetait l'œuf. Parfois aussi, le marabout écrivait des formules sur de petits morceaux de papier. Il remettait le papier plié en quatre au malade, qui devait ensuite le coudre dans une petite poche en tissu et le porter sur lui en permanence. On appelle cela un *Keteb* (ce qui est écrit), et c'est censé porter bonheur et protéger du mauvais œil.

Pendant les séances, tout le monde était assis en rond autour du marabout. Les gens étaient transportés d'admiration, surtout les femmes. Certaines pleuraient même de joie. Il est vrai que ce marabout avait une prestance certaine qui lui donnait une allure de prophète. C'était un homme d'une soixantaine d'années, très beau, habillé tout en blanc. Les séances se passaient dans le calme, mais il régnait quand même une atmosphère assez étrange...

Quand ç'a été mon tour, il m'a appelée et m'a demandée de m'asseoir sur lui. Je me suis exé-cutée, je n'avais pas le choix. Tout d'un coup, il s'est mis à réciter des versets du Coran, m'a attrapé le bras et m'a mordue. Je me suis mise à hurler. Pas de douleur, mais d'humiliation. Je ne pouvais pas supporter d'être traitée de cette manière. Certes, je devais me rebeller le moins possible, cela faisait partie de la comédie. Mais il a senti quand même qu'il n'arriverait à rien avec moi. Alors il m'a prise à part, dans sa chambre, et là, il m'a dit : « Maintenant, tu vas dire ce que tu sais. » Je lui ai répondu que puisqu'il était un saint, il devait tout savoir. Alors il m'a demandée ce que je voulais, ce que je cherchais. Je crois que je lui faisais presque peur. Il redoutait en tout cas de perdre sa crédibilité auprès des autres à cause de moi.

A partir de ce moment-là, j'ai compris que je n'avais rien à craindre de lui, que tout était truqué. Il a encore récité quelques versets du Coran et il a fini par me laisser.

Après cela, je suis restée seule dans mon coin, au milieu de tous ces gens, à observer ce qui se passait. Les femmes me regardaient et me plaignaient. J'étais la malheureuse, possédée par le diable, qu'on ne parvenait pas à exorciser.

Pour arriver à tenir le coup dans cette ambiance insensée, au milieu de ces gens pris de délires collectifs à l'apparition du marabout, je me suis repliée sur moi-même, je n'ai parlé à personne et j'en ai profité pour écrire à Antonio, puisque personne ne me surveillait vraiment.

C'est le souvenir le plus irréel, le plus étrange, le plus dur aussi, que je garde de toute cette période.

Parce que là-bas, j'ai vu pour la première fois quelqu'un mourir sous mes yeux. C'était une femme assez jeune. Elle était sans doute déjà mourante quand on l'avait amenée, elle râlait beaucoup. Je suis sûre que le marabout savait lui-même qu'il aurait mieux valu l'emmener à l'hôpital, mais il ne pouvait pas le dire sans se discréditer. Alors, il a fait comme s'il tentait de la soigner et il lui a donné une sorte d'ultime bénédiction, en lisant quelques passages du Coran. Je me souviendrai toujours de ce visage crispé de douleur, soudain immobile.

Quand ma mère est enfin venue me chercher, le marabout lui a dit de ne pas s'inquiéter pour moi, que grâce à lui j'étais désormais protégée par tous les saints. Il a tout fait pour la rassurer, et j'ai moi-même contribué à faire croire que ses pouvoirs avaient eu un effet bénéfique sur moi, en prenant un air calme, faussement épanoui... Je voulais qu'on me laisse tranquille et surtout ne pas retourner chez le marabout.

A force de me rebeller, de crier, de hurler que je voulais rentrer, j'ai fini par tomber malade. J'avais des crises de nerfs terribles. J'ai perdu presque dix kilos en trois mois. Je passais mes journées couchée, à pleurer. J'étais totalement épuisée.

Je me répétais sans cesse qu'Antonio m'avait mise en garde, qu'il ne voulait pas que je parte. Je ne savais pas ce qu'il pensait de moi à présent. Tout me semblait de plus en plus confus.

Ma mère a fini par se rendre compte qu'elle ne pouvait pas me laisser dans cet état, que je n'étais pas faite pour vivre là. Elle m'a promis de faire tout ce qu'elle pourrait pour m'aider à repartir.

Mais elle était tiraillée, elle aussi. Sa famille lui montait la tête en blâmant mon attitude, ma grand-mère la surveillait sans arrêt, et elle ne voulait pas s'opposer de front à mon père. Alors, tantôt elle prenait mon parti, tantôt elle m'injuriait en me criant que j'étais une traînée. Elle aussi était prise au piège, presque plus que moi. Je ne devais surtout pas compter sur elle...

J'ai dû « trier » les membres de la famille pour savoir à qui je pourrais faire confiance. Il me fallait absolument trouver des intermédiaires, surtout pour donner des nouvelles à Antonio, pour lui dire que je voulais revenir, que je l'aimais, que je regrettais de ne pas l'avoir écouté.

J'avais très peur qu'il soit reparti chez lui et qu'il m'ait laissé tomber. Mais je voulais rentrer quoi qu'il arrive, même si je devais ne jamais le retrouver. C'était mon but, mon obsession, mon unique espoir, ma seule raison de rester en vie.

J'ai fait une première tentative auprès d'un

cousin de mon âge qui m'aimait beaucoup et à qui je racontais presque tout. J'avais une entière confiance en lui. En plus, c'était un garçon, de sorte que pour ma famille, il n'était pas suspect a priori... Alors que toutes les filles l'étaient plus ou moins.

J'avais réussi à écrire à Antonio. Je me cachais dans les toilettes, le seul endroit où j'étais seule et sans surveillance. Je mettais plusieurs jours pour écrire trois ou quatre pages. Il ne fallait pas rester trop longtemps enfermée pour éviter d'éveiller l'attention. J'avais aussi un problème matériel de papier et de stylo. J'avais pu cacher un petit bout de crayon à papier que je gardais sur moi en permanence, et je ramassais le plus discrètement possible le moindre bout de papier.

C'était une lettre très intime, très personnelle. Je lui criais mon désespoir, en lui demandant de faire tout ce qu'il pourrait de son côté. Je lui expliquais qu'il fallait à tout prix que je parte, que je l'aimais plus que tout.

J'ai confié cette lettre à mon cousin en lui demandant de la poster pour moi, puisqu'il m'était impossible de sortir. Il m'a assurée que ça ne posait pas de problème. En plus, son père travaillait à la poste et je pensais bêtement que ma lettre partirait plus vite...

Mais le piège s'est refermé sur moi encore une fois. Je lui faisais confiance et il m'a trahie, lui aussi. Ma lettre n'est jamais arrivée à destination. Il l'a ouverte, l'a lue et l'a remise à ma mère.

Je ne l'ai appris qu'une dizaine de jours plus tard, par l'une de mes cousines. Je suis alors allée le voir pour lui demander des explications. J'étais encore plus triste que furieuse.

C'est là que j'ai vu son vrai visage. Il avait complètement changé. Il m'a menacée de me gifler si je ne me calmais pas. J'étais terriblement humiliée. Il était plus jeune que moi, et à mon âge, même mes parents ne me frappaient plus. Mon propre frère n'aurait pas osé me parler sur ce ton.

A partir de ce moment-là, j'ai décidé de ne plus faire confiance à aucun homme. Tous hostiles. Tous complices.

Je n'ai même pas cherché à reprendre ma lettre. Je demandais pourtant à Antonio de la transmettre à l'avocate que j'étais allée voir avant ma fugue avec lui. Je voulais qu'il aille la voir et qu'il lui demande de porter plainte pour moi.

Toute la famille a eu cette lettre entre les mains. Tout le monde l'a lue. Ma mère s'est complètement retournée contre moi. Je ne pouvais plus rien faire, la situation était absolument sans issue. Je n'avais plus aucune chance de pouvoir mettre le nez dehors avant longtemps. J'étais tout le temps dans la maison, surveillée de plus en plus étroitement. Je ne faisais plus que pleurer. La seule idée claire que je parvenais encore à formuler, c'était que je voulais partir, à tout prix.

Cette idée me faisait tenir et j'arrivais à réfléchir malgré tout. Je calculais sans arrêt les risques d'une éventuelle évasion. Je cherchais surtout comment faire. J'avais les nerfs à vif, je dormais très peu. Nuit et jour, je faisais des plans pour m'échapper.

Je n'avais le droit ni de lire, ni d'écrire. Je ne devais rien faire. Mais on ne pouvait pas m'empêcher de penser. Pour tenir, il fallait que je me contrôle, que je trouve un équilibre, une force intérieure.

En fait, j'étais en prison, puisqu'on me gardait enfermée à ne rien faire, contre mon gré, pour me punir. Mais je n'avais même pas la dignité d'un prisonnier, puisque je n'en avais pas le statut. Il n'empêche que j'étais réduite à l'esclavage : je devais servir les hommes à table et faire le ménage. Cela m'aidait à tenir, parce qu'au moins, je pouvais bouger. Mais les corvées mises à part, je n'avais aucune activité, aucun repère. Mes facultés intellectuelles étaient atteintes. Mon cerveau ne semblait plus fonctionner normalement.

Pour trouver un équilibre et survivre, il me fallait dépasser la souffrance mêlée d'humiliation que me causait cette trahison. Je devais jouer la comédie, cacher cette mutilation intérieure pour faire croire que je changeais, que je m'adaptais. C'était le seul moyen d'obtenir un peu de liberté. Je voulais inspirer une certaine confiance pour qu'on me laisse enfin aller et venir.

❧ J'y suis parvenue, petit à petit, mais il a fallu des mois pour qu'on me laisse par exemple lire le journal. Plus tard, beaucoup plus tard, j'ai enfin réussi à sortir, mais j'étais toujours accompagnée par mon cousin. Depuis l'épisode de la lettre, on lui faisait entièrement confiance. On pensait que lui saurait me garder et me tenir.

Heureusement, mes cousines étaient là. J'étais très proche de deux d'entre elles, qui ont joué un rôle important dans cette histoire. Je les connaissais depuis l'enfance. Ce sont deux femmes très ouvertes, qui ont fait des études et souffrent beaucoup du statut de la femme algérienne. Elles étaient trop terrorisées pour pouvoir m'aider à partir, mais elles se rendaient bien compte que je souffrais et elles ont accepté de m'aider. Elles ont transmis à Antonio une première lettre où je lui donnais leurs adresses professionnelles respectives – à la banque et au lycée. Il s'est mis à leur écrire à tour de rôle. Ensuite, elles s'arrangeaient entre elles pour me faire passer ses lettres. Quand elles me rendaient visite, ma tante nous surveillait en permanence. Mais dès qu'elle tournait le dos un instant, pour aller à la cuisine ou aux toilettes, elles me glissaient les lettres que je coinçais aussitôt dans mon soutien-gorge. Je répondais en écrivant dans les toilettes, ou la nuit, dans mon lit. Je savais qu'Antonio ne m'avait pas laissé tomber, et cette idée me réconfortait beaucoup.

Mes cousines étaient mortes de peur à l'idée que ces lettres puissent tomber entre les mains de la sécurité militaire ou des services de renseignements. Elles me racontaient qu'ils ouvraient toutes les lettres, qu'ils vérifiaient les colis, que la moindre carte postale un peu critique à l'égard de l'Algérie n'arrivait jamais à destination.

Au début, je ne voyais pas beaucoup de monde. Les trois premiers mois, j'ai vécu avec ma mère et ma sœur, dans la maison qu'avait fait construire mon père. La famille venait de temps en temps. Puis, ma mère et ma sœur sont reparties et je suis restée seule. Mes parents ont dû trouver quelqu'un pour me garder, pour me surveiller.

Ma mère ne voulait absolument pas me laisser à ma grand-mère. En fait, elle avait très peur d'elle. Elle la soupçonnait d'avoir recours à la magie. Elle me recommandait toujours, quand je devais lui rendre visite, de ne laisser aucune de mes affaires chez elle, de n'oublier aucun vêtement, et même de faire attention à ne laisser traîner aucun de mes cheveux là où je m'asseyais... Il valait mieux éviter également de regarder ma grand-mère trop longtemps droit dans les yeux...

Ma grand-mère a beaucoup de poids sur la famille. Quand mon grand-père est mort, il y a très longtemps, elle est devenue la personne la plus ancienne et on lui a confié la responsabilité de la famille. Elle a une autorité naturelle très forte : on la consulte pour toutes les décisions importantes et on se range à ses avis. Elle est très lucide et très vigoureuse. Elle est à la fois crainte – on redoute son pouvoir – et vénérée, parce qu'elle est l'ancêtre. Physiquement, elle ressemble à la plupart des vieilles femmes algériennes. Elle porte des vêtements très longs, de grandes robes pleines de volants et des sortes de pantalons en-dessous. Ses cheveux sont très longs et tressés. Comme toutes les algériennes, elle ne les a jamais coupés et elle ne les dévoile jamais. Elle enroule plusieurs foulards sur sa tête, un premier pour protéger ses cheveux, et plusieurs autres qui, arrangés d'une certaine manière, forment une sorte de chapeau. Son visage et ses bras sont tatoués, très légèrement, et elle porte en permanence d'énormes boucles d'oreilles. Dans la famille on la considère comme une sorte de sage.

J'ai compris beaucoup plus tard que c'était elle en fait l'instigatrice et la vraie responsable de toute cette histoire. Je me suis souvenue que mon père l'avait appelée souvent pour lui raconter tout ce qui se passait en France. Il lui avait parlé de ma fugue, bien sûr, puis de mon histoire avec Antonio. Elle s'était indignée de mon attitude, lui avait monté la tête et l'avait poussé à me ramener en Algérie.

Il l'a fait à contrecœur, j'en suis sûre aujourd'hui. Sinon, pourquoi ces larmes, ces sanglots si violents à l'aéroport? S'il avait decidé seul, il n'aurait pas eu autant de remords.

Ma grand-mère se servait aussi de cette histoire pour semer la discorde entre mes parents. Elle avait déjà réussi à les éloigner... Elle aurait voulu que ma mère, qu'elle détestait, se rebelle contre son mari. Cela lui aurait permis de récupérer son fils et de le remarier en Algérie.

Elle téléphonait sans arrêt à mon père. Ma mère a senti qu'ils manigançaient quelque chose et elle a tout fait pour rentrer en France. En partant, elle m'a simplement dit de ne pas trop m'inquiéter, qu'elle ferait tout pour me sortir de là, même si elle devait en passer par le divorce.

Finalement, mes parents sont tombés d'accord pour me laisser chez l'un des frères de ma mère. Il me terrorisait, je le détestais et je n'avais aucune confiance en lui. C'est un coureur de jupons qui a eu trois femmes. On raconte dans la famille que la première a disparu à cause de lui, tellement il la battait. La seconde est partie, après lui avoir jeté de l'eau bouillante à la figure, à cause d'une autre femme. Il a la moitié du visage brûlé, ce qui le défigure complètement. Il se venge de tous ses malheurs sur sa troisième femme, en l'humiliant en public et en la battant...

Je la détestais, elle aussi, et elle me haïssait. De plus, elle vivait dans des conditions répugnantes. A cause des pénuries d'eau, elle se servait de la même bassine pour tout : la toilette, la lessive, la cuisine et le ménage. Je ne pouvais rien avaler tellement j'étais écœurée. Un matin, je me suis réveillée couverte de plaques rouges : mon lit était infesté de punaises.

Les premiers mois chez eux, je n'avais le droit de sortir que pour me laver : j'allais prendre un bain une fois par semaine chez une autre de mes tantes. J'aurais préféré habiter chez elle. Elle m'aimait bien et elle avait l'air de comprendre un peu ma situation. Mais la famille ne lui faisait pas confiance.

Les autres ne savaient pas pourquoi j'étais là. Au début, quand on leur avait dit que mon père avait décidé de me laisser en Algérie, ils n'avaient pas cherché à savoir pourquoi. Personne n'avait posé la moindre question.

Quand ma mère m'a confiée à mon oncle, il lui a quand même demandé pourquoi elle me laissait. Elle lui a expliqué que je m'étais très mal comportée en France et lui a raconté mon histoire avec Antonio. Une fille qui part avec un non-musulman est une prostituée... J'ai pensé qu'il allait me mener une vie infernale. Mais curieusement, il m'a plutôt bien traitée, parce que j'avais fait des études. Il avait l'impression que je lui étais supérieure sur le plan intellectuel. J'ai eu des rapports étranges avec lui. J'en avais très peur quand il frappait et injuriait sa femme, mais il avait beaucoup de respect pour moi. Je serais peut-être parvenue à le faire fléchir, si j'avais osé essayer. Mais il avait donné sa parole à mes parents et il respectait son engagement en me gardant enfermée et soumise.

Sa femme, elle, se vengeait sur moi des humiliations qu'il lui faisait subir. Quand il disparaissait après l'avoir frappée, je devenais son esclave : elle me faisait tout faire dans la maison, en m'injuriant à son tour. Mais faire le ménage ou la lessive me permettait de bouger, de prendre un peu d'exercice, de ne pas rester là inerte, à pourrir sur place.

Elle surveillait toutes mes allées et venues, le moindre pas, le moindre geste. Si on me surprenait en train d'ouvrir un livre ou, pire encore, d'écrire, j'étais aussitôt punie : on m'enfermait pendant plusieurs jours, on m'interdisait même de regarder dehors...

Mais je continuais à écrire mes lettres dans les toilettes. Il me fallait en moyenne une semaine par lettre, pour qu'ils ne se doutent de rien. Je devais ensuite attendre plusieurs jours pour pouvoir la remettre en cachette à l'une de mes cousines. Je n'avais aucun endroit où dissimuler mes affaires. Alors, je cachais ces lettres dans mon slip ou dans mon soutien-gorge...

Je mettais forcément plusieurs semaines à répondre aux lettres d'Antonio que je jetais dans les toilettes aussitôt lues. Souvent, ce que j'écrivais n'avait presque aucun sens. Je n'avais pas ouvert de livre depuis longtemps, je faisais des fautes énormes. Mes phrases étaient devenues incompréhensibles, je me contredisais... J'étais très atteinte moralement et psychologiquement.

J'ai quand même réussi, en plusieurs semaines, à dessiner pour Antonio un plan de l'endroit où j'étais, pour qu'il puisse venir me chercher et m'emmener...

Au bout de deux mois d'enfermement total, j'ai enfin pu sortir un peu, toujours accompagnée par mon cousin. Au début, c'était juste le dimanche, pour aller prendre mon bain hebdomadaire chez ma tante. Mes parents me téléphonaient chez elle, en milieu d'après-midi. C'était leur seul coup de fil de la semaine. On échangeait des banalités... J'étais résolue à rester calme. Je devais à tout prix avoir l'air soumise, différente, presque heureuse d'être là, si je voulais avoir une chance de faire revenir mon père sur sa décision.

Trois mois plus tard, j'ai obtenu le droit de sortir plus souvent. Mais c'était uniquement pour aller rendre visite à ma grand-mère ou à d'autres tantes. On allait d'une famille à l'autre. Je tenais surtout à aller voir mes cousines. Elles venaient aussi me rendre visite de temps en temps, mais il ne fallait pas qu'on se voie trop, pour ne pas éveiller l'attention. Chacun de mes gestes, chacune de mes demandes, chacune de mes phrases étaient suspects.

On ne nous laissait jamais seules. Toujours un oncle, une tante ou ma grand-mère dans la pièce. L'une de mes cousines avait été professeur d'anglais. Alors, sous prétexte de m'entraîner, elle me parlait anglais. Personne autour ne comprenait. Ils n'ont jamais eu de doutes. C'était pourtant tellement gros...

Au cours de ces conversations, elle m'a appris que le consulat de France avait pris contact avec elle, grâce à Antonio à qui j'avais donné son adresse. On me faisait savoir que je devais à tout pris gagner le consulat par mes propres moyens. Un passeport français et un billet d'avion m'y attendaient. Pour le consulat français, j'avais bien le statut de ressortissante française. Mais au regard de la loi algérienne, je restais de nationalité algérienne. Le consulat de France ne pouvait donc pas intervenir directement. Aucune aide n'était possible si je ne venais pas en personne en faire la demande.

D'un côté, je me sentais rassurée : on ne m'avait pas oubliée, on se préoccupait de mon sort. Mais de l'autre, cette nouvelle me semblait très effrayante : si je ne parvenais pas à m'enfuir, on allait me laisser croupir sur place, j'allais finir ici...

Ma cousine me soutenait le moral, en m'assu-

rant qu'elle m'aiderait à m'en sortir. Elle me pro-
mettait d'intervenir si par malchance mes projets
d'évasion échouaient. Elle affirmait être prête,
sous peine de s'attirer des ennuis monumentaux,
à me conduire elle-même au consulat de France
d'Alger. Je gardais espoir et je pensais pouvoir
compter sur elle. Elle avait à la fois tout et rien à
perdre en m'aidant. Elle me disait qu'elle détestait son pays, sa vie entière...

J'ai cherché tous les moyens de m'échapper.
J'ai élaboré des dizaines de plans pour me sauver.
C'est presque la seule chose que j'ai faite en huit
mois.

Cela m'évitait de me laisser complètement
abrutir par cette existence de recluse. Sans cet
espoir, je n'aurais jamais tenu le coup. Si j'avais
pensé ne pas pouvoir repartir, je me serais sûrement supprimée dès le début. Je devais lutter
sans cesse contre moi-même, contre mon désespoir, contre la petite voix insidieuse qui me mur-
murait souvent que je ne rentrerais jamais en
France.

Alors, j'observais, je notais, je calculais en permanence, je restais en éveil pour trouver la faille,
l'instant propice.

J'ai envisagé une première tentative alors que
ma mère n'était pas encore repartie en France. Ce
jour-là, elle m'avait emmenée au hammam avec
une tante. Toutes les femmes laissent leurs

affaires au vestiaire et se promènent complètement nues. Je voulais en profiter. Trouver un prétexte pour sortir me sécher. Simuler un malaise,
un évanouissement. Me glisser dans les vestiaires.
Là, me dissimuler sous le voile d'une autre,
ramasser les affaires de ma mère et de ma tante,
sortir dans la rue et les laisser là toutes nues. Un
vrai scénario de cinéma.

J'étais prête à tout risquer, mais j'étais surveillée sans arrêt. Ma mère ne m'a pas quittée une
seconde quand j'ai voulu sortir du bain. Et ce fut
mon premier plan raté...

Quand ensuite j'ai habité chez mon oncle,
j'aurais fort bien pu me débrouiller pour sortir de
la maison et partir. Mais une fois dehors, les obstacles étaient trop nombreux.

D'abord, je devais me débarrasser de ma tante.
J'avais demandé à une cousine de me donner un
somnifère. Je voulais endormir ma tante, prendre
les clés qu'elle gardait en permanence sur elle et
m'enfuir. Mais mon oncle traînait toujours en
ville et il risquait de m'apercevoir. Une fois sortie
de la maison, j'étais coincée de toute façon.

En Algérie, une fille qui prend un taxi seule, ça
n'existe pas, surtout pour de longs trajets. J'aurais
risqué de me faire violer en plein désert par le
chauffeur... Les hommes sont à l'affût, ils ne
laissent passer aucune occasion, puisque les
femmes vivent cachées sans jamais sortir.

Le principal obstacle, c'est surtout la police.

Elle est partout, à toutes les sorties de la ville et elle surveille toutes les allées et venues. Si des policiers aperçoivent un couple qu'ils ne connaissent pas dans une voiture, ils l'arrêtent pour vérifier qu'ils sont bien mariés. S'ils ne sont que fiancés, on les emmène aussitôt au commissariat. On téléphone à la famille pour vérifier qu'elle est au courant, pour demander ce qu'ils font ensemble dans cette voiture, où ils vont, pour quoi faire...

Les policiers sont les gardiens de la morale publique. Les autres hommes surveillent eux aussi tous les faits et gestes des femmes dans la rue. Comme si tous les hommes étaient des pères. Des pères très répressifs, collectivement garants de la moralité de toutes les filles du pays. Dans ces conditions, je ne pouvais pas m'enfuir seule. Il fallait que je trouve une aide extérieure.

Le coopérant français que nous avions pour voisin ne nous voyait d'habitude qu'en été. Cela faisait déjà six mois que j'étais en Algérie quand il a appris ma présence. Il s'en est étonné en cette période de l'année. Un jour où j'étais seule sur la terrasse, en train d'étendre le linge, il a réussi à me parler sans qu'on nous voie. Je lui ai expliqué que j'étais coincée, que j'avais besoin de son secours. Il m'a proposé de m'aider à m'échapper et de m'emmener au consulat de France. Finalement, j'ai jugé que l'opération était trop risquée pour nous deux. Les coopérants sont surveillés en permanence. Tout le monde sait où ils sont, ce qu'ils font, avec qui... C'était l'échec quasi certain.

Après ces mois passés à jouer la comédie, à faire celle qui se laisse dresser, je ne voulais pas compromettre bêtement mes chances de m'en sortir. Il me fallait un plan solide. J'étais tellement lasse que je n'aurais pas eu le courage de recommencer si j'avais échoué.

Physiquement, je pouvais encore tenir le coup. Mais si je m'étais fait prendre, j'aurais craqué nerveusement. J'étais déjà si proche de la saturation, de la rupture, du point de non-retour...

Deux ou trois semaines plus tard, j'ai tenté autre chose. J'étais allée rendre visite à une cousine un peu éloignée. On commençait à m'accorder un peu plus de liberté : mon cousin m'avait simplement accompagnée, puis il était reparti en me laissant seule avec elle. C'était l'occasion rêvée pour essayer quelque chose. Elle ignorait tout de ma situation, elle ne cherchait pas non plus à savoir pourquoi j'étais là. Je ne me sentais pas vraiment proche d'elle et je ne lui faisais pas spécialement confiance, mais il fallait lui parler. Je lui ai donc expliqué que j'étais retenue de force en Algérie, que je voulais retourner en France, et qu'il fallait qu'elle m'aide. Elle s'est mise à pleurer en me disant qu'elle ne pouvait pas faire une chose pareille, à cause de mes parents et du scandale que cela provoquerait dans la famille.

Alors, je l'ai menacée de me tuer si elle ne m'aidait pas. Je lui ai dit que toute sa vie elle serait responsable de ma mort, puisqu'elle était ma seule chance. Après plusieurs heures de discussion, elle a enfin accepté d'essayer.

Elle travaillait comme infirmière à l'hôpital situé à l'extérieur de la ville, et l'un de ses amis était ambulancier. Quelques jours plus tard, je l'ai accompagnée à l'hôpital. Elle a expliqué ma situation à l'ambulancier et lui a demandé de me conduire à la station de cars. Là, je devais m'embarquer pour Alger, direction le consulat de France.

C'était risqué de lui demander ça, parce que c'était un homme... Comme tous les autres, il devait se sentir responsable de la moralité féminine. Mais après avoir un peu discuté, il a fini par accepter. Il m'a fait passer pour une malade en m'allongeant à l'arrière de l'ambulance pour me faire traverser la ville incognito, et il m'a déposée à la station de cars.

Là aussi, je prenais de très gros risques. N'importe qui de ma famille aurait pu me voir. Il y a toujours un monde fou, des hommes qui traînent et observent ce qui se passe. J'étais morte de peur, mais j'avais déjà franchi une partie des obstacles.

Au guichet, j'ai demandé un aller simple pour Alger. Le type – je l'entends encore – m'a répondu que le bus avait un pneu crevé et qu'il ne partirait pas avant le lendemain. J'ai cru que j'allais tomber par terre.

L'ambulancier m'attendait dehors : je devais lui faire signe que tout allait bien. Je suis simplement allée m'asseoir par terre dans un coin de la gare routière. Il pouvait m'arriver n'importe quoi, je m'en foutais. Tout avait raté si près du but. J'étais anéantie. Je brûlais de fièvre. Je suis restée là, à n'attendre plus rien.

L'ambulancier est venu me chercher et m'a ramenée chez ma cousine comme s'il ne s'était rien passé. Le soir, mon cousin m'a raccompagnée comme d'habitude chez mon oncle. Personne dans la famille ne s'est jamais douté de rien.

Il me restait une dernière chance, un ultime plan. Le mari d'une autre de mes cousines est chauffeur de taxi. Il a des origines françaises. Je pensais qu'il pourrait peut-être me comprendre. Sa mère est née en France, mais elle a épousé un Algérien et vit en Algérie depuis la fin de la colonisation. Elle a complètement changé : elle ne parle pratiquement que l'arabe, elle met le voile, elle se teint au henné... Une blonde aux yeux bleus, pourtant.

Sa femme et lui m'aimaient bien. Un jour que je déjeunais chez eux, je lui ai carrément dit que je voulais partir et qu'il fallait qu'il m'aide à aller jusqu'à Alger. Sans lui expliquer pourquoi.

Il s'est mis très en colère. Je ne m'y attendais pas du tout. Je pensais qu'il allait me poser des questions, essayer de me comprendre. En réalité, il était déjà au courant de toute mon histoire. Il m'a menacée de prévenir mon père. J'ai répondu que j'allais me foutre en l'air si je ne rentrais pas.

Il a alors complètement changé d'attitude. Il a paru reprendre ses esprits et il m'a dit qu'il savait que je ne pourrais jamais m'habituer à vivre ici, que j'avais reçu une éducation trop différente en France. Mon père s'était trompé, il n'avait pas assez réfléchi, il avait fait le mauvais choix. Il m'a promis de lui parler, de lui suggérer de me ramener en France quand il reviendrait pour les vacances. En dernier recours, il s'est engagé à m'accompagner lui-même à l'aéroport si mon père ne changeait pas d'avis.

Il se rendait beaucoup mieux compte de ma situation que les autres. Mais il ne voulait pas d'un coup en douce. Je pouvais comprendre pourquoi. Et je ne devais pas me reposer uniquement sur lui.

Antonio de son côté ne restait pas inactif. Pendant ces huit mois, il n'a vécu qu'en m'attendant. Il habitait à droite et à gauche, subsistait grâce à des petits boulots et passait le reste de son temps à écrire, à voir des gens pour tenter de trouver une solution...

Il a dû écrire en tout des centaines de lettres, dont une bonne dizaine au maire de V., dont dépendait ma commune d'origine; celui-ci lui répondait chaque fois qu'il s'occupait de mon cas et le renvoyait régulièrement à son collègue Claude Cheysson, alors ministre des Relations extérieures. Par lui, mon dossier avait été transmis à la Direction des Français à l'étranger et au consulat d'Alger, le plus proche de l'endroit où j'étais gardée.

Il a écrit partout, mais ils répondaient tous la même chose : Yvette Roudy, alors ministre chargée des Droits de la femme; Louis Mermaz, président de l'Assemblée nationale; le secrétariat particulier de Danielle Mitterrand; la Ligue des Droits de l'homme; Amnesty International. Ils se chargeaient tous de transmettre mon dossier au ministère des Relations extérieures, seul compétent en la matière.

Et au ministère, on recommandait à Antonio d'être prudent et surtout de faire preuve de patience : tout était mis en œuvre pour mettre un terme à cette histoire. Mais mon dossier était particulièrement délicat et la seule solution leur semblait être que je parvienne à gagner le consulat par mes propres moyens... Alors seulement, on pourrait me faire quitter l'Algérie légalement.

Antonio devenait fou à force d'attendre. Il avait l'impression que cette histoire n'en finirait jamais, que je resterais là-bas à vie.

Il savait où j'étais : fin février, j'avais réussi à lui faire envoyer un plan de l'endroit où j'étais, par ma cousine. Un plan très précis, que j'avais mis des heures à dessiner, enfermée dans les toilettes : tout était indiqué. Au cours de mes rares sorties, j'avais réussi à tout repérer : la gendarmerie, la station de taxis, la station de bus, le lycée, le stade, la piscine, l'hôpital, la poste... Les endroits dangereux et le chemin à suivre pour s'enfuir étaient fléchés en rouge.

Alors, vers le mois de mai – je ne me souviens plus de la date exacte, j'avais perdu toute notion de temps –, il a fini par venir en Algérie. Il est d'abord allé au consulat, pour tenter d'accélérer les choses. On lui a répété qu'on s'occupait de moi et on lui a surtout recommandé d'être prudent, de ne rien compromettre, de rentrer en France. A bout de patience, il a finalement décidé de venir me chercher lui-même.

Mais j'étais bien enfermée et bien gardée. De plus, j'ignorais tout de sa présence en Algérie. Ma cousine Latifa, qui avait accepté de m'aider, avait été surprise, par son époux, au téléphone avec Antonio. Le mari avait prévenu l'oncle chez qui j'habitais, et la famille entière s'était mise à la soupçonner, parce qu'on la savait très proche de moi. Mon oncle était présent à chacune de ses visites, et il nous surveillait de près : il a même suivi Latifa dans la rue pendant un certain temps! De sorte que depuis un moment, je ne recevais plus aucune lettre, aucune nouvelle, je n'avais plus aucun contact avec l'extérieur.

Le choc, quand un après-midi, j'ai aperçu Antonio, par hasard, en regardant à la fenêtre... D'abord, j'ai cru rêver, j'ai pensé que je m'étais trompée. Mais pendant toute une semaine, il est passé, régulièrement, à la même heure, devant la maison. C'était bien lui... Il restait là, quelques instants très brefs, pour ne pas être repéré. On se voyait, on se souriait discrètement, mais pas question de se faire le moindre signe ni de s'adresser la parole. C'était bien trop dangereux.

Pourtant, mes cousines ne m'avaient pas laissé tomber. Elles avaient aidé Antonio en le renseignant sur les moments où mon oncle était absent et ma tante occupée. Antonio est resté une semaine à l'hôtel. Dans cette ville, on repère tout de suite un étranger. Les gens lui posaient des questions, lui demandaient qui il était, d'où il venait, ce qu'il faisait là. Il répondait qu'il était là en touriste, qu'il était venu visiter la ville. Cette attitude a dû paraître bizarre à beaucoup. On le surveillait du coin de l'œil, et c'était d'autant plus difficile de se voir.

Mais grâce aux indications de mes cousines, un jour, l'occasion s'est présentée. Mon oncle était sorti, ma tante discutait avec la voisine sur la terrasse. Tremblante, je me suis précipitée pour aller ouvrir. Je lui ai expliqué très vite qu'il était en danger. Si on le repérait, on le tuerait. Et moi, je ne pouvais pas sortir toute seule, il fallait trouver un plan génial et du temps.

Il savait déjà tout ça. Très vite, il m'a remis ce mot, plié en mille morceaux, et un peu d'argent.

« 21 avril 1985

Attention, Aïcha, ma chérie, mon amour, lis bien attentivement tout ce que je t'écris.

1. Prends cet argent. Cache-le bien. On ne sait jamais, l'occasion peut se présenter à tout moment. Tu as plus besoin de cet argent que moi et cela me briserait le cœur que tu tentes de me le rendre.

2. Aïcha, je peux te rassurer : une fois au consulat, tu seras sauvée. Même si les autres te disent le contraire, je peux t'assurer que là-bas tu seras en sécurité.

3. Pour réduire les obstacles, va le plus vite possible chez ta tante et téléphone tout de suite au consulat, en expliquant toi-même ta situation. D'accord, mon trésor ?

4. Moi, je pourrai peut-être rester encore quelques jours en Algérie, mais sans doute pas ici, pour essayer de te faciliter les choses.

5. Écris d'urgence une lettre à ton père en lui expliquant que tu voudrais retourner vivre auprès d'eux en France. Dis-lui que tu es malheureuse ici, simplement parce qu'ils sont loin de toi. Cela peut t'aider, même s'ils ne

reviennent pas tout de suite sur leur décision. Ils gagneront au moins un peu de confiance en toi.

6. Si tu le peux, ma chérie, écris au consulat. Donne-leur le maximum de précisions sur tes sorties (les heures où tu vas aux bains par exemple). Pour te procurer d'autres vêtements, essaye de te débrouiller avec tes cousines.

7. Si on pouvait arriver ensemble au consulat, on se marierait immédiatement et là, tu ne courrais plus aucun risque.

Antonio

P.S. Écris-moi aussi souvent que possible. Écris-moi tout. Je t'aime, JE T'AIME. »

Au dos de la lettre, sur un côté, il avait aussi gribouillé très vite : « Fais d'urgence une dizaine de photos d'identité et envoie-les moi. Je t'en prie, garde cet argent. Si tu me le rendais, ce serait comme si tu refusais mon aide. » Sur l'autre côté, il avait entouré et écrit en capitales : « Fais tout pour aller chez la grand-mère. Ne reste pas chez ta tante. Débrouille-toi. »

C'était extraordinaire de recevoir cette lettre de ses propres mains. Je l'ai lue et relue des milliers de fois et c'est la seule que j'aie réussi à cacher jusqu'à la fin. Elle me rendait espoir chaque fois que je la relisais. Mais en même temps, presque tout ce qu'il me demandait ou me conseillait de faire m'était pratiquement impossible : téléphoner, écrire et surtout aller au consulat.

Je crois qu'il ne se rendait pas bien compte de ma situation, au point de venir avec l'idée d'une tentative d'enlèvement. Je savais bien que c'était impossible, et heureusement, il l'a compris lui-même assez vite : il serait peut-être en prison à l'heure qu'il est, s'il avait tenté quoi que ce soit... L'Algérie l'angoissait beaucoup. Il avait été très choqué de voir toutes les femmes voilées de noir ou de blanc, et quand il a entendu pour la première fois l'appel du muezzin à la prière, il a presque cru qu'une guerre avait éclaté ! Mais il est quand même reparti un peu rassuré : il redoutait le pire, et il avait pu se rendre compte que je tenais encore le coup, que j'étais bien sur mes deux pieds et toujours déterminée à retourner en France. Il est rentré plein d'espoir, en rêvant un peu...

De mon côté, je me sentais réconfortée, malgré toutes les difficultés : il était venu, il allait me sortir de là, j'en étais sûre. C'était le seul sur qui je pouvais compter jusqu'au bout, le seul qui faisait tout pour m'aider, le seul à qui mon sort importait vraiment.

Après avoir passé huit mois là-bas, je sais à la fois beaucoup et peu de choses sur l'Algérie. Je connais la vie quotidienne des femmes. Le reste, ce ne sont que des impressions, des sensations. Je ne pourrai plus jamais avoir un regard froid et objectif sur ce pays. J'espère ne jamais y remettre les pieds. Je peux simplement comparer ces huit mois à ce que j'avais vu « avant », quand nous venions en vacances et que tout me semblait « normal » et agréable.

J'ai beaucoup appris en regardant la télévision, quand j'en ai eu le droit, à la fin. Je pouvais aussi lire *El Moudjahid*, le quotidien national. C'était très important pour moi, parce que malgré ces longs mois, je ne savais pas réellement où j'étais et j'ignorais tout de la vie politique de ce pays. Par les journaux, la radio, la télé, j'ai compris ce qu'était vraiment le régime algérien. Il n'a rien d'une démocratie, comme je le croyais quand j'étais en France. C'est en fait un régime autoritaire et archaïque. Une forme de dictature.

Je regardais les informations avec beaucoup d'intérêt. Je voulais savoir ce qui se passait à l'étranger, en France surtout... Mais en dehors des catastrophes, le présentateur ne parlait jamais des pays occidentaux. Le résultat obtenu était souvent inverse de celui escompté : les gens avaient tendance à idéaliser ces pays, dont ils n'entendaient parler que par les on-dit.

En revanche, on était parfaitement informé sur le Moyen-Orient et sur les autres pays africains.

Mais le plus drôle, si l'on peut dire, c'était le résumé des informations nationales. Elles étaient si creuses, si vides, d'une telle insignifiance... Quand le Président recevait un chef d'État étranger, de quelque pays qu'il vienne, on avait droit en direct à l'arrivée de l'invité accueilli par son hôte, aux deux hymnes nationaux, et c'était tout. Rien sur les raisons de cette visite, ni sur les discussions...

Les Algériens ne savent rien des affaires intérieures de leur pays. Pourtant la vie quotidienne est très difficile. Tout manque. L'eau surtout. Par périodes, il n'y en a pas du tout. Les gens font des réserves : ils savent par le bouche à oreille que de telle heure à telle heure, ils pourront remplir leurs baignoires, leurs bassines et autres récipients.

Et puis il y a les rumeurs qui circulent, sans arrêt. Alarmistes, dramatiques. Invérifiables. Elles se gonflent d'autant plus que le gouvernement dissimule certaines réalités. J'ai dû attendre de rentrer en France pour apprendre qu'il y avait eu, à l'époque où j'étais en Algérie, une très grave épidémie de choléra...

Dans le journal paraissaient régulièrement le signalement et la photo de gens portés disparus et prétendûment recherchés par leurs proches. Les articles n'en disaient jamais plus : ni pourquoi on les recherchait, ni comment ils avaient disparu.

Mais les gens ne sont pas dupes. Petit à petit, j'ai compris moi aussi qu'il s'agissait d'opposants recherchés par la sécurité militaire. Mais la sécurité militaire, personne n'en parle. Tout le monde la craint, on la voit partout. On raconte qu'elle quadrille le pays, que toutes les administrations sont infiltrées par ses agents, qu'ils sont à chaque coin de rue, déguisés... On en arrive même à soupçonner les membres de sa propre famille. Le gouvernement parvient à faire régner un climat de méfiance terrible : personne ne le critique, surtout en public. Et dans la rue, on se tait.

Partout règne une atmosphère de méfiance. Les gens semblent constamment sous tension ; ils ont l'air d'avoir comme un poids sur le dos. Personne ne semble vraiment à l'aise, et même entre gens qui se connaissent bien, la franchise ne semble pas exister. Il existe toujours un climat de suspicion, comme si chacun craignait en permanence pour sa propre peau.

Le matin, on est réveillé très tôt par une musique lancinante qui vient de la rue. C'est la chanteuse nationale qui hurle des chants révolutionnaires et indépendantistes dans les haut-parleurs installés à tous les carrefours. L'indépendance, pourtant, cela fait vingt-cinq ans qu'ils l'ont...

J'étais terrorisée par ce bruit ; ça me rappelait

ce que j'avais appris à l'école sur le fascisme et les films que j'avais vus sur Mussolini. A l'école, c'est un peu pareil, les enfants saluent le maître comme je l'ai vu faire dans certains films...

La maison de mon oncle est bâtie tout contre la mosquée, et chaque matin, nous étions également réveillés par les appels à la prière, sur bande pré-enregistrée, d'un muezzin électronique. Au début, ce son aigü et très fort m'angoissait. Mais à force, on s'habitue presque...

La maison de mon oncle date de l'époque coloniale française. C'est une énorme bâtisse, assez belle, avec des murs très hauts. J'avais parfois l'impression de me trouver en France, à une époque ancienne.

Mais j'étais en Algérie et tout venait sans cesse me le rappeler. Le climat, en particulier : il fait très chaud l'été et on gèle l'hiver. La ville est d'ailleurs souvent coupée par la neige.

A cause du manque d'hygiène, j'ai dû attraper une bonne dizaine de maladies : virus intestinaux, mycoses en tout genre... Je n'ai jamais pu m'habituer à la nourriture. En France, on mangeait parfois à l'algérienne, mais c'était tout autre chose. Chez ma tante, tout me semblait sale, lourd, gras... Les pénuries peuvent durer des mois. Il n'y avait que très peu de fruits. Mes cousines n'en avaient presque jamais vu. Les produits laitiers sont très rares et très chers. Le beurre, le lait, tout est importé de Hollande... Et la télévision ne cesse de vanter les mérites de la révolution agraire!

On faisait la queue dans tous les magasins, plusieurs heures parfois. Même pour le pain. Dans une ambiance de guerre.

L'espace ne manque pas dans les maisons, mais on vit entassés dans les deux pièces principales. Je dormais avec mon oncle et ma tante, dans la même pièce. Nous n'avions aucune intimité... Même quand je regardais par la fenêtre, je sentais qu'on m'observait d'en bas.

Au début, la famille insistait pour que je porte les vêtements traditionnels comme la djellabah et le voile, mais ma mère a réussi à les faire céder. Elle, par contre, les mettait toujours pour sortir.

Personne, surtout, ne devait voir mes jambes. Et quand des étrangers nous rendaient visite, on m'obligeait à me cacher. Si c'était la famille, je devais me faire aussi discrète que possible et me retirer pour laisser les hommes entre eux.

Eux étaient habillés «normalement», à l'occidentale. Ma tante, elle, était toujours en djellabah; elle portait en permanence un foulard à la maison, et le voile dès qu'elle mettait le nez dehors.

Entre elles, entre voisines, les femmes ont des rapports très chaleureux. Elles discutent en étendant le linge, elles se rendent visite quand les maris ne sont pas là pour les voir. La femme sort rarement : elle passe sa vie à la maison, à faire les repas, le ménage, à s'occuper des enfants, à recevoir la famille. Et elle guette, avec une certaine appréhension, le retour de son mari.

Mon meilleur souvenir, c'est le hammam. On y allait une fois par mois. C'est avant tout un lieu de rencontre, un endroit où les femmes se retrouvent enfin entre elles, toute crainte disparue, à l'abri de tout regard masculin. Elles sont très excitées plusieurs jours à l'avance, et là, elles « explosent » littéralement. Habituées à tout cacher sans cesse, elles deviennent ici complètement impudiques, presque vulgaires. Elles ont un comportement très provocant, des rapports très ambigüs. Elles se lavent, se caressent longuement entre elles et trouvent sans doute là un plaisir que jamais un mari ne leur procurera.

Je faisais tout comme elles, je cultivais l'image de la jeune fille soumise, enfin résignée. Et je suis arrivée, avec le temps, à tromper tout le monde.

J'ai même eu le droit quand je sortais – d'ailleurs un peu plus souvent que les autres femmes – de m'habiller à l'européenne. C'était pour moi une conquête très importante : la famille me reconnaissait un certain droit à la différence. Mes parents m'avaient envoyé des vêtements de France, des vestes, des pulls et même des pantalons, aujourd'hui tolérés.

La ville où j'étais « gardée » ressemble à certaines images qu'on peut avoir des pays de l'Est. Il ne subsiste de la ville d'origine que les fortifications romaines. Tout le reste a été reconstruit après la guerre d'Algérie. Tout s'articule autour d'une immense rue principale, constamment en chantier. Il reste encore beaucoup de maisons de l'époque de la colonisation, mais on construit partout à côté. Des maisons carrées, surmontées par des terrasses, jamais complètement terminées. Cette année-là, le gouvernement avait lancé une nouvelle politique de logement, et des petits immeubles de trois ou quatre étages apparaissaient un peu partout.

La rue est une véritable fourmilière, quelle que soit l'heure de la journée. Partout des hommes, des adolescents, des enfants. Au coin des rues, dans tous les cafés, ils attendent, sans rien faire, que le temps passe, en écoutant ces chants révolutionnaires lancinants.

Le plus terrible, ce sont les jeunes. La plupart sont livrés à eux-mêmes. Les garçons de douze ou treize ans passent leurs journées à traîner dans les rues. Personne ne semble aller à l'école au-delà du primaire où ils sont déjà entre quarante et cinquante par classe...

Côté « distractions », je me souviens d'une émission télévisée pour les enfants, dans le genre de *Jeux sans Frontières*. Les enfants d'une ville étaient opposés à ceux d'une autre et les gagnants étaient ceux qui écriraient la meilleure pièce de théâtre, le meilleur sketch à la gloire de l'indépendance. Toutes ces scènes étaient jouées avec un fanatisme incroyable. Vingt-cinq ans après, les enfants sont encore élevés dans le culte de l'indépendance. Ils sont conditionnés dès leur plus jeune âge par l'éducation qu'ils reçoivent à l'école, et leurs parents, qui étaient souvent résistants, prennent le relais à la maison.

Mais quelques années plus tard, beaucoup d'entre eux s'interrogent sur leur avenir. Ils n'ont rien, aucune perspective, devant eux il n'y a que l'obscurité, le vide total.

Quand je regardais la rue, j'avais l'impression d'être tombée sur une autre planète, uniquement peuplée d'hommes. Ils sont partout, garants d'une certaine société, sur laquelle ils font peser la domination masculine comme une menace perpétuelle.

Les femmes et les jeunes filles, en revanche, ne sortent que lorsqu'elles ont quelque chose à faire à l'extérieur : elles vont à l'école, au travail, ou faire une course. Elles passent, rapidement, les yeux toujours baissés, la plupart voilées. Et tous ces regards masculins se braquent sur elles. Le voile excite l'imagination...

Quand je sortais, toujours accompagnée, ces regards de désir me terrifiaient, j'avais l'impression d'être sans cesse traquée. C'est un sentiment qui devient très vite insupportable, une violence psychologique presque pire qu'un viol.

Pendant ces huit mois, je n'ai cessé de me demander ce que ces hommes attendaient, ce qu'ils espéraient. Je crois qu'ils se moquent de ce qui peut leur arriver, de ce qui les attend ici-bas : ce sont des musulmans, de simples passagers sur terre.

Pourtant, leur malaise demeure, entretenu par les chants des haut-parleurs. Ils semblent vivre dans une perpétuelle inquiétude. Un perpétuel ennui aussi. Ils ne savent que faire de tout leur temps libre, alors que les femmes, elles, sont toujours occupées. L'éducation qu'ils reçoivent petits les habitue à ne rien faire, à se conduire comme des rois à la maison. Leurs parents, leurs mères surtout, en font des fainéants.

Aucune statistique officielle ne le confirme, mais on estime que dans le monde arabe, 45 % des jeunes filles entre quinze et dix-neuf ans sont déjà mariées. J'avais largement l'âge, j'étais presque en retard... Mes cousines l'étaient déjà toutes ou promises à des garçons qu'elles n'avaient pas choisis... Souvent, elles les connaissaient de vue. Mais parfois, elles ne les avaient rencontrés qu'une fois avant la cérémonie du mariage, lors de l'entrevue arrangée pour qu'ils puissent les choisir.

La fête dure souvent plusieurs jours. « La consommation » du mariage est l'un des moments les plus importants. Elle est brève et brutale, pour pouvoir montrer la fameuse chemise tachée aux invités. Un instant de fierté immense pour la famille de la jeune épouse...

Tout est arrangé entre les parents. Dès que la jeune fille a ses règles, on commence à lui chercher un mari, certificat médical de virginité en main. La fille n'a jamais son mot à dire. Le garçon, lui, peut refuser les propositions de ses parents et souvent il choisit lui-même.

La plupart de mes cousines sont mariées à des hommes plus âgés qu'elles. Elles l'avouent difficilement, parce que cela ne se fait pas, parce que le poids de la tradition est trop lourd, mais elles ne sont pas heureuses, et elles savent qu'elles ne le seront jamais avec leur époux.

Pourtant, quand une jeune fille n'est pas demandée assez vite en mariage, elle a souvent recours à des pratiques « magiques ». Le célibat prolongé apparaît comme une situation scandaleuse qui jette discrédit et déshonneur sur la famille de la jeune fille.

Alors la mère, le plus souvent avec l'accord implicite de sa fille, a recours aux dons d'une magicienne pour rendre sa fille plus belle, plus désirable, pour faire d'elle l'épouse idéale... La magicienne, selon un rite bien précis, prononce des formules propices aux mariages, en échange de quelques dinars. Et on retourne la voir aussi longtemps que nécessaire...

En Kabylie, la magie reste la science incontestée des femmes. Elles y croient toutes encore plus ou moins. Les hommes s'en moquent, mais ils la redoutent malgré tout.

Mes tantes et ma grand-mère ne cessaient de me répéter qu'il allait bien falloir que je devienne une vraie femme. Autrement dit qu'on me trouve un époux. Pas question d'Antonio, bien sûr. Elles se réunissaient régulièrement autour de ma grand-mère. Je ne crois pas que mes parents étaient au courant, surtout ma mère. Avant de repartir en France, elle m'avait recommandé plusieurs fois de me méfier de ma grand-mère, qui était entièrement sous la coupe d'un marabout.

Elle redoutait ses recours aux pouvoirs magiques. Pour elle-même, d'abord. Selon la légende kabyle, les marabouts ont le pouvoir d'unir les couples, mais aussi celui de les désunir. Ma mère était persuadée que ma grand-mère avait recours à des rites magiques pour éloigner mon père et le remarier. Elle devait craindre aussi qu'elle cherche à me marier, mais elle ne m'en avait pas parlé clairement. Et comme j'étais surveillée tout le temps par la famille, entièrement dominée par ma grand-mère, je n'osais pas parler de cela à mes parents au téléphone, ni même le leur écrire. Mais je n'avais pas vraiment peur. Malgré tout ce que j'avais pu entendre ou voir, je ne croyais pas ces histoires de magiciennes.

Personne ne savait que je n'étais plus vierge. J'aurais presque préféré qu'ils le sachent, tous, pour que la question soit réglée, mais cela n'aurait fait qu'aggraver ma situation. Le scandale serait retombé sur toute la famille. En Kabylie, toute la communauté est mise au courant. Le père déshonoré par sa fille est considéré comme un malheureux. Il se cache la tête et le visage sous un capuchon et ne sort plus que pour se rendre au marché, en marchant la tête basse et les yeux au sol.

« Une fille comme ça, une fille de rien, on lui donnera du poison à boire, ou elle se fera étrangler », dit un dicton populaire kabyle. Et l'on affirme que pour la mère, sa disparition est un soulagement.

Un jour que j'étais chez ma grand-mère, elle m'a fait le henné. Le henné a une valeur quasiment religieuse : il est censé apporter bonheur et prospérité. Les femmes ne le portent que pour les grandes occasions, les événements marquants de leur vie et les jours de fête religieuse. Ensuite, elle m'a fait enfiler une robe superbe, qui dévoilait tous mes charmes... Puis j'ai dû apporter du thé et des gâteaux dans la pièce commune. Et là, je me suis retrouvée seule en face de cinq ou six garçons que je n'avais jamais vus de ma vie. J'ai d'abord pensé à des cousins éloignés, puis j'ai très vite compris que j'étais dans une sale situation.

Ils me regardaient, me dévisageaient, m' « inspectaient ». Certains semblaient « intéressés » et tentaient de discuter avec moi, en arabe et aussi un peu en français.

Je devais à tout prix me sortir de cette situation, leur ôter toute envie de me demander. Je ne pouvais pas supporter cette idée. Alors, au risque de me trahir, de perdre les bénéfices de la comédie que je jouais depuis des mois, j'ai levé le masque. J'ai tout fait pour les décourager, leur faire peur, leur montrer que jamais je ne serais une femme soumise, une bonne épouse.

Pendant une demi-heure, j'ai parlé avec autorité des droits de la femme, du monde dans lequel j'avais été élevée, de la manière dont je concevais le mariage. Ils se taisaient. Je ne les ai jamais revus par la suite, et je n'en ai plus entendu parler. J'avais réussi à les décourager.

Ma grand-mère a fait deux autres tentatives. Sans doute avait-elle recours en même temps à ses incantations magiques, mais je ne l'ai jamais vue faire quoi que ce soit devant moi.

J'ai recommencé avec les suivants... J'arrivais à faire fuir tous les prétendants. Et à discréditer les prétendues pratiques magiques de ma grand-mère.

Mes sœurs et mon frère, restés en France, ne semblaient pas vraiment au courant de ma situation. Ils pensaient que je resterais en Algérie, et je leur manquais autant qu'ils me manquaient. Pourtant, ils semblaient résignés. Je n'ai jamais su ce que mes parents leur avaient dit. Ils avaient raconté que j'étais malade, mais personne n'était vraiment dupe. Nous n'en avons jamais parlé, après.

On s'écrivait assez régulièrement, surtout au début, quand ma mère et ma sœur étaient encore avec moi. Mais nous savions tous que ces lettres passaient au départ comme à l'arrivée entre les mains de nos parents.

Mes sœurs, surtout, me manquaient. Je lisais et relisais leurs lettres. Le premier à écrire fut pourtant mon frère, plus d'un mois après notre départ.

« 2 février 1985

Je prends ma plume, avec un peu de retard certes, pour vous faire part des événements vécus en France, pays où le soleil n'est pas toujours au rendez-vous.

J'ose espérer que ma petite lettre vous trouvera en excellente santé.

Votre départ a été heureux, mais lorsque nous avons appris qu'il était sans retour, cela a été une grande désolation, particulièrement pour tes études, Aïcha, et ta présence parmi nous.

Les enfants ici se portent plus ou moins bien, fatigués par les travaux ménagers et scolaires ; la santé d'Aïcha nous inquiétait beaucoup, mais depuis son léger rétablissement, nous sommes rassurés. Néanmoins, cela ne nous empêche pas de nous faire du souci pour elle, car elle est notre grande sœur et donc notre exemple à tous, même si elle n'est pas parfaite, car une chose est sûre, la perfection n'est pas de ce monde.

J'ose espérer que toutes les nouvelles que nous avons pu recevoir sont le reflet de la réalité ; en passant, je voudrais remercier toute la famille qui a soutenu Aïcha quand il le fallait...

Si Aïcha va mieux, c'est ce qui nous importe, mais nous souhaiterions l'avoir à nos côtés, au soleil, sur le littoral d'une baie en Kabylie.

Honnêtement, il n'y a plus rien à envier à la vie en France, elle se dégrade. Les morts, nombreux, sont trop souvent maghrébins.

Qu'est-ce qu'il serait bon de rentrer chez soi, entouré de toute la famille, de nos êtres chers.

Scolairement, ne vous faites aucun souci, la situation était critique, mais jusqu'à présent, nous avons toujours su nous en tirer. Alors ne vous inquiétez pas, nous nous retrouverons dans peu de temps.

Passez le bonjour à tout le monde.

Rachid »

Les parties de la lettre qui me concernaient avaient être gommées et réécrites. Je sentais la relecture paternelle... Et tout laissait entendre que la famille allait se retrouver définitivement coincée en Algérie.

Mes sœurs faisaient preuve de plus d'indépendance, d'astuce même, pour me faire passer quelques messages, que je ne comprenais pas toujours...

« 9 février 1985

Chères vous,

Je vous écris pour vous donner de nos nouvelles qui ne sont pas mauvaises. Ici, tout le monde se porte bien et ne cesse de penser à vous, là-bas. Il pleut et je suis toute seule à la maison. Papa au travail, Rachid sorti et la petite au sport, tout est calme.

Nous pensons très fort à vous, car à la maison, il manque presque la moitié de la famille.

Et vous, comment allez-vous? Maman, ne te fatigue pas trop. Djamila, j'espère que tu t'es réconciliée avec Aïcha. Aïcha, comment vas-tu? Car c'est plus pour toi que j'écris, pour avoir de tes nouvelles. Il ne faut pas te laisser aller, sinon qui se disputera avec nous pour la place dans le fauteuil? Qui nous fera de bons petits plats? Qui se réveillera en retard tous les matins? Cela ne peut être que toi, Aïcha.

Alors je t'en supplie, tiens bon, car je te comprends, pour toi, ce n'est pas le paradis. Pour moi non plus. Alors, tu piges? Toi, ma grande sœur, ressaisis-toi, montre que tu es courageuse. Il ne faut pas que tu restes à crever dans la maison, parce que eux, ça les arrange bien. Ne te dis pas que ta vie est foutue, tu n'arriveras à rien. Il faut au moins que tu essayes d'aller à l'école, de travailler, tu te feras de l'argent, tu te débrouilleras. Ici, nous faisons le maximum, aucun de nous ne te laisse tomber, compris? Tu as le bonjour de tout le monde.

Je voudrais bien que tu nous écrives, même un seul mot. Je sais que cela t'est difficile mais il te faut énormément de patience et de courage, comme disent tes quelques amis, en particulier « Téfolle ».

Je dois maintenant faire mes devoirs. Pourriez-vous m'envoyer du khôl pour les yeux, je n'en ai plus.

Je vous laisse, en espérant ne pas avoir trop fait la morale à Aïcha, car je n'ai pas à la lui faire.

Je vous embrasse très fort de la part de Papa, Rachid et la petite.

Malika »

Cette lettre, je l'ai relue des centaines de fois. « Téfolle », dans notre code, c'était Antonio. Mes sœurs l'avaient surnommé ainsi, parce que c'était l'une de ses expressions favorites : « T'es folle ou quoi ? » Il prononçait ça avec son accent italien et elles rigolaient toutes. J'ai appris ainsi qu'il était toujours là, qu'il n'était pas rentré dans son pays comme je le redoutais. Il avait vu mes sœurs, il savait ce qui c'était passé, il allait s'occuper de moi, peut-être...

Au tout début de notre séjour, c'était ma sœur qui était chargée d'écrire en France. Je ne voyais jamais le contenu de ses lettres. Mais d'après les réponses, je comprenais qu'elle leur racontait que j'étais malade et surtout odieuse et révoltée.

Ma mère, qui ne savait pas lire, se méfiait beaucoup de moi. De toute façon, ma sœur lui relisait toutes mes lettres à voix haute, et je savais qu'elle était contre moi, que si elle avait pu me coincer, elle aussi... Je ne lui faisais aucune confiance.

Au bout de trois mois, j'ai eu le droit à mon tour de donner de nos nouvelles. Je devais tenir mon rôle de grande sœur et surtout cacher mes sentiments réels...

« 21 mars 1985

Mes chères petites chatons, cher Rachid et cher Papa,

Ici, on n'a pas toujours le temps de vous

écrire, avec le travail que nous impose la maison, mais je sais que c'est inexcusable!

Au moment où je vous écris, j'ai attrapé une crise de foie, mais ce n'est rien, seulement le climat et la nourriture qui ne me conviennent pas. J'ai pris des médicaments et ça va mieux.

Nous avons reçu vos lettres. Celle que Malika nous a écrite en février n'est arrivée qu'hier, à cause de la grève de la poste qui a duré au moins un mois et demi.

On vous remercie de nous avoir envoyé quelques affaires car il fait déjà très chaud et nous n'avions que des vêtements d'hiver. Si vous pouviez nous envoyer par colis quelques tee-shirts...

En ce qui concerne le rétablissement de Papa, nous sommes ici tous très contents, enfin j'espère que Malika ne nous a pas menti à ce sujet.

Enfin, je vous souhaite à tous *bon courage*.

Rachid, efforce-toi d'avoir ce bac et pour tous les quatre, partagez-vous les tâches ménagères, ne concentrez pas tout sur une seule personne, entraidez-vous. Je ne vous le répéterai jamais assez.

Au sujet du voyage de maman en *France*, pas encore de date. Mais elle vous le dira au téléphone.

Rendez-vous au téléphone chaque dimanche, évitez les autres jours.

Malika, pour tes études, ne désespère pas, il y a un moyen de trouver quelque chose qui te plaira, mais il faut continuer à suivre tes cours comme si de rien n'était, c'est important pour ton dossier.

Ma petite Fatima, c'est à ton tour. Pour toi, je ne me fais pas de souci, je sais que tu es la plus raisonnable de nous tous et j'ai confiance en toi.

Voilà, je ne vois plus grand-chose à rajouter, sinon vous transmettre les bonnes nouvelles de notre famille. Nous vous embrassons très fort en attendant de vos nouvelles.

Aïcha

P.S. : Papa, maman insiste pour que tu n'appelles que le dimanche, c'est trop gênant sinon pour la famille. Et puis, ne dévoile rien sur nous à la famille, on s'écrit, on se téléphone, c'est suffisant.

Je vous embrasse tous très très fort. »

TROISIÈME PARTIE

En juillet, j'ai commencé à comprendre, à travers les lettres de ma mère et certains propos de ma famille, que j'avais peut-être un espoir de repartir un jour.

Mais c'était un espoir encore si infime. Je ne voulais pas y croire, et surtout pas rester là à attendre. Je cherchais toujours toute seule le plan miracle qui me permettrait de m'enfuir... Tant que je n'aurais aucune certitude, que le mot « départ » n'aurait pas été prononcé par mes parents, que la famille n'en aurait pas été informée, je persévèrerais.

Au téléphone, je rétablissais lentement des relations normales avec mon père. Nous recommencions à nous parler un peu. La famille lui avait dit que j'avais changé, qu'il n'avait plus d'inquiétude à se faire, alors il m'écoutait un peu plus...

Je commençais aussi à avoir un peu plus de liberté. On m'apportait des livres : des romans à l'eau de rose, les seuls livres en français que possédait ma famille... Des histoires de cœur vraiment nulles, mais c'était déjà énorme de pouvoir lire. J'avais de toute façon la cervelle ramollie par tous ces mois d'inactivité.

Parfois, j'avais même droit à un journal français, *Le Monde*. Je le dévorais d'un bout à l'autre, pour avoir enfin de vraies nouvelles de France ! Je n'avais jamais ouvert ce journal avant, tellement il me semblait austère et touffu... Là, je lisais tout avec délices, même la météo et les programmes télé.

Au milieu du mois de juillet, mes parents sont arrivés, pour les vacances, avec mes sœurs et mon frère. Je suis restée très distante avec mon père... J'étais très contente de revoir ma mère, mais surtout mes sœurs, Malika et la petite. Pendant ces longs mois, nous n'avions eu aucun contact normal. Toutes nos lettres étaient lues et relues par tout le monde.

Je pouvais enfin leur raconter la vérité sur ce qui s'était passé et leur expliquer ce que je ressentais. J'avais une totale confiance en elles. Elles comprenaient mieux que n'importe qui, nous avions reçu la même éducation et elles avaient souffert de mon absence autant que j'avais souffert de la leur.

Depuis un moment, j'avais commencé à refaire un peu surface, et j'avais entrepris de me battre.

J'avais eu vent par bribes de vieilles histoires familiales qu'on tenait bien cachées, et j'ai décidé de m'en servir pour semer la zizanie. Je comptais ainsi qu'on ne m'accepte plus nulle part dans la famille, que personne ne veuille plus me garder.

J'avais appris que ma grand-mère paternelle n'avait jamais accepté le mariage de mes parents et qu'elle avait tout fait pour l'empêcher grâce à ses prétendus dons magiques. A l'époque, mes parents avaient choisi de la fuir en partant pour la France au plus vite.

Mes cousines m'avaient également raconté que ma grand-mère avait tenté plusieurs fois de remarier mon père à son insu, grâce à ses sortilèges de sorcière... Elle venait même de lui trouver la prétendante idéale.

J'ai profité de la présence de mes parents pour aller voir ma grand-mère et lui dire que je connaissais ses intentions à l'égard de ma mère, que je ne croyais pas à sa foutue magie, et qu'il fallait qu'elle laisse enfin mes parents en paix. Je ne savais pas comment mon père réagirait, mais j'étais sûre que ma mère serait de mon côté.

Mon père avait terriblement changé en huit mois. Je ne sais pas comment ma grand-mère avait réussi à lui monter la tête, mais il était bien décidé à nous laisser tous les cinq en Algérie à la fin des vacances et à retourner travailler seul en France. Cette idée lui ressemblait si peu...

Un après-midi de la fin de juillet, il nous a réunis dans la pièce commune de la maison et nous a solennellement annoncé que nous allions tous refaire notre vie ici. Nous sommes restés silencieux un long moment, sidérés, pétrifiés... Puis le drame a éclaté.

J'ai été la première à réagir et à lui tenir tête : c'était hors de question, nous allions tous faire bloc contre lui. Notre vie, c'était la France.

Mon frère a pris le relais, suivi de ma mère, qui a menacé mon père de divorcer s'il nous laissait là. Elle s'est enfin défendue, en lui hurlant qu'elle aussi, elle avait le droit de choisir...

Il est sorti en claquant la porte.

Ils étaient tous effondrés. C'est alors que j'ai pris les choses en main. Je les ai réconfortés par tous les moyens, je leur ai dit que pour moi, c'était foutu, mais qu'il fallait à tout prix qu'eux s'en sortent.

Dans les jours qui ont suivi, je me rappelle de scènes incroyables entre mes parents. Ils se disputaient sans arrêt devant nous. La situation se dégradait de jour en jour.

J'ai finalement décidé de jouer ma dernière carte : parler ouvertement, franchement, pour la première fois, de sa mère à mon père. Sans lui laisser le temps de m'interrompre – sinon je n'aurais jamais osé aller jusqu'au bout – je lui ai dit que ma grand-mère était hostile depuis toujours à son mariage, qu'elle avait tout fait pour le briser, qu'elle avait toujours détesté ma mère et cherché à s'en débarrasser. J'ai ajouté que s'il la laissait faire, elle allait finir par lui briser toute sa famille.

Il m'avait écouté sans m'interrompre. Et puis, il a fini par dire doucement qu'il n'avait jamais eu l'intention de faire de mal à personne...

J'avais l'impression qu'il ouvrait peu à peu les yeux, qu'il ne s'était pas rendu compte de grand-chose et qu'il commençait seulement à comprendre comment ma grand-mère le manipulait.

Alors j'ai continué. Je lui ai parlé des pratiques magiques de ma grand-mère pour le séparer de ma mère... Ces légendes sur les sorcières, les homme kabyles font semblant d'en rire et de s'en moquer, mais au fond, ils y croient et redoutent ces femmes.

Je lui ai même dit que sa mère pensait lui avoir trouvé la femme idéale. Je voulais savoir s'il était au courant et je lui ai demandé s'il souhaitait réellement se remarier. Il a ouvert de grands yeux en m'affirmant qu'il n'en était pas question, qu'il était bien avec ma mère et n'avait jamais eu l'intention de changer d'épouse...

Alors je l'ai supplié de me dire qui lui avait soufflé cette idée, et j'ai terminé en lui promettant le pire s'il nous laissait tous là.

Il était pris de court, très en colère, je ne l'avais jamais vu aussi furieux. Sans rien ajouter, il s'est précipité chez ma grand-mère...

A partir de ce jour, il a adopté une attitude différente à mon égard. Il m'était reconnaissant de cette scène. Elle l'avait aidé...

Il ne cessait de me répéter qu'il savait que j'avais changé et que j'allais peut-être pouvoir rentrer bientôt en France.

Je ne savais plus que croire. J'essayais avant tout de garder la tête froide. Tant que je n'aurais pas les deux pieds sur le sol français, je ne serais sûre de rien...

Au mois d'août, mon père a brusquement décidé qu'il allait me ramener. Il me l'a annoncé un soir, très calmement, comme si tout était normal, comme s'il avait oublié ces huit mois d'un seul coup! Il s'est contenté de me dire qu'il espérait que j'avais compris la leçon, et que désormais, j'allais m'occuper de ma mère, qui était malade et devait être opérée en octobre. Il pensait que le souvenir de ce « séjour » s'effacerait peu à peu et que j'allais reprendre mes études. Il avait même l'air de croire que tout était déjà oublié.

De toute façon, personne dans la famille ne voulait plus me garder : j'avais semé la pagaille complète en rappelant toutes ces vieilles histoires. La famille avait été très choquée de voir que mon père se rebellait contre ma grand-mère, et ils faisaient tous bloc derrière elle. On me considérait comme malfaisante. En fait, mon père n'avait plus d'autre solution que de me faire rentrer en France.

Mais j'étais en Algérie depuis plus de six mois et au regard de la loi du pays, je n'étais plus considérée comme une touriste mais comme une résidente. Me faire sortir de là était devenu très difficile, même pour mes propres parents, malgré ma nationalité et mes papiers français... Je ne sais pas ce qu'ils avaient fait de ma carte d'identité d'origine, mais mon père a dû faire des démarches très compliquées pour pouvoir récupérer des papiers. Il y avait en plus une sombre histoire de devises.

Je mourais d'envie de leur dire qu'un passeport m'attendait au consulat, que tous les détails de mon retour étaient déjà réglés... Mais c'était la dernière chose à faire. Il fallait jouer la comédie jusqu'au dernier instant. Finalement, mon père a réussi à me faire faire des papiers et à se procurer un billet d'avion. Jusqu'au dernier moment, j'ai eu peur qu'il change d'avis... Je devais prendre l'avion avec ma mère et mes trois sœurs. Mon père et mon frère nous rejoindraient en bateau un peu plus tard, à cause de la voiture.

Quand le jour du départ est arrivé, au tout début de septembre, je n'arrivais pas à y croire. J'étais dans un état second, comme droguée, tellement cela me paraissait invraisemblable.

A la douane algérienne, j'ai cru que tout était foutu. Tout le monde est passé en présentant son passeport. J'étais la dernière. Mon cœur battait à cent à l'heure. Le douanier m'a regardée droit dans les yeux et m'a fait signe de passer. Un dixième de seconde plus tard, il m'a rappelée. J'ai cru que j'allais tomber, je ne comprenais rien à ce qui se passait. Je me suis retournée vers lui et il m'a demandé si je travaillais.

Je ne savais pas quoi dire, je ne savais pas quelle était la bonne réponse pour quitter enfin ce foutu pays. Je risquais de rester coincée. Beaucoup de résidents algériens sont refoulés à la frontière, côté algérien, arbitrairement.

J'ai dit la vérité : « Je n'ai jamais travaillé en Algérie, je suis étudiante. »

C'était la bonne réponse... Si j'avais dit que je travaillais, j'aurais été refoulée sur-le-champ. Mais un étudiant ne rapporte rien à la société, alors on peut le laisser partir.

C'était fait, j'étais dans l'avion, je flottais complètement, j'avais l'impression de rêver. Mais j'avais perdu tout contact avec la réalité et l'extérieur me faisait peur, après tous ces mois passés enfermée.

Quand j'ai débarqué à l'aéroport, en France, je n'y croyais toujours pas. La première chose que j'aurais dû faire alors, si j'avais été dans mon état normal, ç'aurait été de foutre le camp aussitôt pour rejoindre Antonio. Mais j'en ai été incapable. Cette idée ne m'a même pas effleurée. Nous sommes rentrées en taxi. Je ne reconnaissais plus rien. Tout était si différent de là-bas. Je n'étais pourtant partie que huit mois, mais tout me paraissait changé.

Une fois à la maison, je me suis sentie complète-ment paumée. La foule, les gens dans la rue me faisaient peur. Je n'osais pas mettre le nez dehors, je restais enfermée toute la journée, j'étais terrori-sée par cette soudaine liberté. Ma hantise, c'était de me retrouver seule dehors. J'étais restée enfer-mée si longtemps que me retrouver à la fois en France et dehors, c'était trop d'un coup. J'ai mis du temps à réaliser que c'était fini, que j'étais enfin revenue.

J'avais l'intention de prévenir Antonio le plus vite possible, mais je n'osais pas sortir ni télé-phoner. Je ne voulais pas faire de mal à ma mère qui allait être opérée. J'avais peur de la rendre encore plus malade, de la tuer, peut-être. D'autres amis ont su que j'étais rentrée et m'ont téléphoné. J'ai pensé qu'ils allaient prévenir Antonio et je n'ai pas cherché à le faire. Il me l'a reproché pendant des mois. Il m'en veut encore aujourd'hui de ne pas l'avoir appelé aussitôt...

Deux ou trois jours après mon retour, il a été prévenu par une voisine qui était au courant de toute notre histoire et qui m'avait aperçue par hasard. Mon père allait arriver, il fallait se dépêcher.

Antonio ne pouvait pas prendre le risque de me téléphoner. C'est cette amie qui m'a appelée, avec Antonio à côté d'elle. Ma mère a décroché, et quand on a demandé à me parler, elle s'est mise à pleurer. Elle m'a regardée et m'a dit : « Voilà, tu vas me quitter, je le sens. » J'ai essayé de la rassurer, mais elle avait tout deviné.

Au téléphone mon amie était furieuse que je ne l'aie pas prévenue plus vite de mon retour. Puis elle m'a passé Antonio, qui était fou à l'idée que j'étais encore chez mes parents. Il savait bien que mes sentiments à son égard n'avaient pas changé ; je lui avais écrit une longue lettre quinze jours avant mon retour, et je n'étais pas instable à ce point. Mais il était fou de rage : il ne comprenait pas que je puisse hésiter encore. Pour lui, il fallait que je me sauve le plus vite possible. Moi, je répondais à côté, je réalisais encore à peine que j'étais rentrée, que je lui parlais enfin.

Le lendemain, c'est encore une autre amie qui m'a appelée, pour ne pas éveiller les soupçons de ma mère. Elle m'a dit qu'on cherchait du personnel dans un supermarché voisin, que je devrais aller m'y présenter. Et elle m'a donné rendez-vous pour le jour même. J'ai expliqué cette histoire à ma mère qui m'a laissée sortir, accompagnée de ma sœur Malika. On a pris le bus toutes les deux. Et dans le bus, Antonio nous attendait...

Il était très en colère, prêt à tout casser. Il parlait presque en hurlant. Il m'a demandé ce que je voulais vraiment, si je voulais partir avec lui ou rester coincée pour toujours chez mes parents. Le bus continuait. Nous sommes arrivés au terminus où nous attendait mon amie.

On est partis tous les quatre, avec l'amie et ma sœur, à la fois morte de peur et ravie pour moi, dans un café. Il fallait que j'arrive à parler à Antonio, que je lui explique ce qui m'arrivait.

J'étais dans un état second. Je n'arrivais pas à lui dire que la seule chose que je souhaitais, c'était repartir avec lui, comme je le lui avais toujours écrit. Je n'étais pas encore assez forte pour décider toute seule. Mais c'était le moment ou jamais. Mon père allait rentrer. Si je ne repartais pas avec Antonio, je risquais de le perdre pour toujours. Cette fois, il n'aurait pas compris. Dans ma dernière lettre, je lui disais qu'à mon retour, j'aurais besoin d'un peu de temps pour pouvoir m'en aller. Mais il ne pouvait pas l'admettre : il m'avait tellement attendue! Et puis, il m'ouvrait les yeux : j'avais déjà subi trop de choses pour attendre encore. Alors j'ai décidé de repartir tout de suite avec lui.

J'avais juste un sac à main. C'était en septembre, il faisait chaud et je portais seulement un pantalon et un tee-shirt.

Je ne voulais pas que ma sœur soit complice de ma fuite et qu'elle ait des ennuis. Je lui ai dit que je m'en allais, en lui demandant de raconter qu'elle avait essayé de me retenir. Je lui ai donné mon sac comme preuve. Je n'ai conservé que ma carte d'identité. Et je suis partie. Sans rien.

Ma sœur est rentrée à la maison en disant que j'étais partie, qu'Antonio m'avait rejointe, qu'elle n'avait rien pu faire.

Mon père est arrivé le soir même.

Nous nous sommes réfugiés quelques semaines chez des amis, dans la région. Puis nous sommes partis chez d'autres amis, près de Paris, pour fuir le plus loin possible. Je rêvais sans cesse que mon père nous retrouvait et nous tuait tous les deux, Antonio et moi.

J'ai attendu plusieurs mois avant d'appeler mes parents. Un coup de fil très bref, sans dire où j'étais, pour les rassurer, les calmer, avoir de leurs nouvelles surtout. Pendant des mois, cette histoire m'a complètement perturbée. J'avais des réactions étranges, mais j'étais incapable de m'en rendre compte.

Même avec Antonio, je réagissais bizarrement. Ces retrouvailles auxquelles nous avions tant rêvé... Mais rien n'était plus comme avant. J'étais très marquée. C'est quand je me suis mise à travailler que j'ai compris que je n'avais pas un comportement normal. De plus, la vie quotidienne était dure. J'avais un travail, mais Antonio non et nous n'avions pas les moyens de louer un appartement.

Un peu plus tard, quand on a eu notre maison à nous, les choses ne se sont pas arrangées comme je l'avais espéré. J'allais mal, et tout me paraissait insurmontable : les problèmes d'argent, de travail... Je pensais sans arrêt à l'Algérie et par moments, j'avais des sortes d'hallucinations où je voyais tout le monde en monstre. J'avais l'impression que les gens étaient méchants, qu'ils me voulaient du mal. Les souvenirs remontaient sans arrêt, amplifiés, déformés : le marabout, mon oncle battant sa femme, ma grand-mère, les prétendants... Je me réveillais la nuit en hurlant, en croyant que j'étais toujours là-bas.

Le plus douloureux, c'était que je ne comprenais toujours pas pourquoi tout ceci était arrivé. Je me posais sans arrêt la même question. Je me disais que mon père ne m'aimait pas, qu'il ne m'avait jamais aimée.

J'ai finalement décidé d'aller voir un psychologue. Je ne voyais pas d'autre moyen de m'en sortir. Sans lui, je n'y serais jamais arrivée. C'était trop dur toute seule.

Aujourd'hui, je n'ai plus de cauchemars. J'ai revu ma mère pour la première fois en 1987, deux ans après mon départ. Je ne voulais pas voir mon père. On s'est rencontrées toutes les deux dans un terrain vague, près de la maison. Juste une demi-heure. C'était si court.

Un ou deux mois plus tard, j'ai croisé un membre de ma famille par hasard, dans le métro, à Paris. J'étais terrorisée. Il ne m'a pas vue. Je suis partie en courant le plus vite que j'ai pu.

Fin 1988, quand je me suis mariée avec Antonio, j'ai voulu mettre mes parents au courant. Je n'ai pas réussi à le leur dire. J'aurais pourtant tellement voulu qu'ils sachent combien j'étais heureuse...

Je suis quand même allée les voir, pour la première fois depuis près de trois ans. Mais je n'ai pas voulu les rencontrer à la maison. J'avais l'impression que leurs sentiments à mon égard changeaient, mais j'avais toujours peur. Je ne gardais jamais mes papiers sur moi.

J'ai tout de même décidé de leur laisser mon numéro de téléphone. Ma peur s'estompait, je retrouvais peu à peu confiance.

Un peu plus tard, ma mère m'a téléphoné : mon père était à l'hôpital, très malade. Je suis allée le voir. Il était méconnaissable, très faible. Je me sentais en partie responsable, même si je refusais de me laisser culpabiliser. Il était toujours hors de question que je leur annonce mon mariage. Je me disais que dans son état, cette nouvelle risquait de le tuer.

Ils ne l'ont su que très tard, plus d'un an après. J'avais régulièrement de leurs nouvelles par mes amies, je leur demandais sans cesse comment ils allaient, comment ils réagissaient. Je ne voulais pas le leur annoncer brusquement, mais mon père avait beaucoup changé, me disaient-elles, et toute la famille savait de toute façon que je vivais avec Antonio.

C'est finalement une amie qui l'a annoncé à mon père. Je n'en ai pas eu le courage. Il paraît qu'il a bien réagi, qu'il a simplement dit : « Tant mieux. » Il ne pouvait rien dire d'autre. Le plus étrange, c'est qu'il ne l'a pas dit à ma mère. Peut-être avait-il peur de sa réaction, lui aussi.

La dernière fois que je les ai vus, c'était il y a quelques mois, au mariage de ma sœur Malika, qui a épousé un Algérien. Elle s'est mariée dès sa majorité, avec un garçon qu'elle fréquentait depuis peu, plus par résignation que par passion... Pour quitter la maison, fuir à sa façon. Je ne sais pas si elle est vraiment heureuse. Ils se disputent souvent. Lui est pratiquant, et ils ont fait un mariage traditionnel.

C'était la première fois que je revoyais toute la famille dans des conditions heureuses, normales.

Mon frère a beaucoup changé. Il est comme un étranger dans la famille, il est devenu neutre, indifférent, il ne veut plus donner son avis ni prendre parti sur rien. Il essaye de faire des études scientifiques, mais il a du mal. Peut-être à cause de l'islam... le rationalisme, tout d'un coup... Il est très pratiquant. Pas mes sœurs.

Aujourd'hui, je sais que je ne suis pas musulmane, mais je doute quand même. Rien ne me satisfait complètement dans aucune religion, même si je trouve ici et là certaines règles qui me paraissent positives.

Le Coran, lui, va totalement à l'encontre de ma façon de voir l'individu. L'islam est toujours un asservissement, une aliénation pour la femme, jamais un épanouissement. Il empêche l'individu de regarder au-delà de la ligne de conduite qu'on lui édicte. Il ne m'aide en rien. Je n'ai rien à voir avec lui.

Quand j'étais en Algérie, mon oncle m'a montré comment on fait la prière, mais il ne m'a jamais obligée à la faire. J'ai quand même suivi le ramadam, pour ne pas avoir de problèmes. La religion est omniprésente là-bas. Beaucoup de filles portent des robes longues et foncées avec le tchador. Ce sont souvent leurs pères et leurs frères qui les y obligent.

Mon cousin, qui est Frère-Musulman, a contraint toutes les femmes de sa famille à respecter ces règles. Elles portent toutes le tchador. Personne n'a protesté chez lui. Ils ont préféré se taire plutôt qu'il quitte la maison. L'une de ses sœurs, qui a fait des études supérieures, a dû tout abandonner. Son frère lui a interdit de travailler. Du jour au lendemain, elle s'est retrouvée enfermée chez elle. Elle a tenté de se révolter, mais toute la famille a fait pression sur elle. Son frère l'a même menacée de mort. C'est une question d'honneur, et on ne plaisante pas avec ça. On raconte même là-bas que les Frères-Musulmans jettent de l'acide sur les filles qui osent se montrer en maillot de bain sur les plages...

Mon frère, lui, n'a jamais cherché à influencer mes sœurs. La petite dernière est encore à l'école et réussit bien. Elle me manque terriblement et on s'écrit très souvent. Elle souffre autant que moi de notre éloignement. Elle ne rêve que de venir me voir, chez moi. Mes parents refusent pour le moment.

Celle qui s'est mariée travaille. Mais je sais que cette histoire l'a profondément marquée et qu'elle est toujours restée de mon côté, même si aujourd'hui elle s'est mariée par résignation.

L'autre est toujours à la maison, elle s'occupe de mes parents. On s'entend toujours aussi mal, je n'ai aucune confiance en elle, elle est toujours restée du côté de mes parents. Aujourd'hui, elle a finalement été obligée d'accepter ma situation avec Antonio, mais elle la tolère moins bien que mes parents.

Quand je suis allée au mariage, je n'avais toujours pas mes papiers sur moi, pour être sûre. Antonio aussi était invité. Mais j'ai préféré qu'il ne vienne pas. Au cas où... Ce jour-là, j'ai annoncé à ma mère que je m'étais mariée, moi aussi. Sa réaction a été formidable : elle était contente, vraiment contente. Simplement triste de n'avoir pas été là pour me voir, préparer ma robe... Alors je lui ai donné quelques photos, qu'elle a gardées.

Depuis très peu de temps, ils savent où j'habite, je leur ai donné mon adresse et on s'écrit. Mon père a parlé plusieurs fois avec Antonio au téléphone. Toute la famille me demande régulièrement de ses nouvelles.

Même s'ils semblent l'avoir enfin accepté, je sais que mon histoire avec lui continue à les heurter. Peut-être s'il se convertissait à l'Islam, seraient-ils soulagés. J'espère qu'ils viendront quand même nous voir, un jour.

Post-scriptum
de Sophie Ponchelet

Naître en France...

Quoi de plus ordinaire quand on s'appelle Catherine ou Isabelle, fille de Jean-Marc et Viviane X. Tout est écrit... Baptême, école laïque ou catholique, mariage en blanc, naissances, héritages... Tout s'inscrit dans la tradition judéo-chrétienne.

Mais naître en France et choisir de l'assumer quand on s'appelle Aïcha, fille de Mohamed et Fatima X, cela devient, qu'on le veuille ou non, une aventure, un choc, un combat où la seule volonté ne fait pas loi. La tradition, la religion, la famille deviennent autant d'obstacles à franchir dans une véritable course à la recherche d'une identité où les pesanteurs culturelles écrasent la personnalité. Des pesanteurs d'autant plus asservissantes que l'on est née fille.

C'est cette conquête de la liberté d'être, de ce qu'elle a choisi d'être que raconte ici Aïcha. Née en France il y a vingt-cinq ans, de parents algériens, immigrés au début des années soixante.

Française, fille d'étrangers.

Quand elle a pris conscience du fossé qui la séparait de ses origines, quand elle a voulu être elle-même, jeune beur élevée en France dans la tradition patriarcale musulmane, Aïcha a commencé à voir les barrières s'élever puis se refermer comme un piège.

C'est ce piège, la prison de sa condition de femme d'origine algérienne, qu'elle a refusé de subir et dont elle a décidé de s'évader. Elle y est finalement parvenue, choisissant résolument d'être française, sans pour autant renier totalement ses racines.

C'est au cours d'une enquête sur les « beurettes » et les mariages forcés que j'ai rencontré Aïcha, il y a deux ans, en banlieue parisienne. Il a fallu plusieurs semaines pour qu'elle accepte de se raconter, de tout raconter, de briser cette sorte de loi du silence qui existe aussi dans les familles musulmanes. En cela, son témoignage est unique. C'est la première fois qu'une jeune beur raconte, presque jour par jour, heure par heure, la conquête de sa liberté.

Petit bout de femme discrète, douce, mais décidée, elle a accepté d'évoquer, toujours avec pudeur, cette adolescence douloureuse, cette blessure, qu'elle tente aujourd'hui d'oublier. Si elle a tenu à témoigner sous un pseudonyme, c'est qu'elle avait, et qu'elle a, encore peur. Peur d'être identifiée, reconnue, punie par ce père, ces oncles, ces cousins, tous ces hommes investis de la mission d'en faire une bonne musulmane, une femme soumise à la loi coranique. Peur aussi de blesser ce père, cette mère dont elle commence tout juste à se rapprocher. Ces parents qu'elle ne tente ni d'excuser ni de pardonner mais simplement de comprendre. Ces parents qui n'ont rien d'intégristes ou de fanatiques et qui ont sûrement cru bien faire. Ces parents sans doute d'autant plus accrochés à leurs coutumes et à leurs traditions, qu'ils se sentent aujourd'hui de plus en plus rejetés par la société française et en totale rupture avec leurs propres enfants. Séparés par une Méditerranée d'incompréhension.

Aïcha n'attend de ce témoignage ni gloire, ni compassion. Elle souhaite simplement épargner à d'autres ce qui l'a marquée à jamais, et révéler l'ampleur de la menace qui pèse sur des centaines de jeunes filles. Mariages forcés, séquestrations, fugues, enlèvements, suicides... Des histoires presque moyenâgeuses qui se déroulent, quasi quotidiennement, sous nos yeux, en France, en 1990... Parce que les « beurettes » d'aujourd'hui ne veulent plus épouser un homme choisi par leurs parents, comme l'ont fait leurs mères, leurs grands-mères, comme c'est encore trop souvent le cas. Aucun chiffre officiel n'existe en France mais dans le monde arabe, on estime que 45 % des jeunes filles de quinze à dix-neuf ans sont déjà mariées.

Magistrats, assistantes sociales, éducateurs, tous avouent leur impuissance. Même alertés à temps, lorsque la jeune fille n'a pas encore été mariée ou renvoyée au pays, aucune loi ne permet d'imposer un mariage d'inclination contre un mariage de raison... Alors beaucoup se résignent, se soumettent, contraintes et forcées, plutôt que de rompre avec leurs parents. Les autres sont souvent renvoyées de force dans leur pays paternel. Ces jeunes filles nées en France sont dès lors considérées comme algériennes et toute intervention en leur faveur fait figure d'ingérence et se retourne contre elles.

Autre paradoxe : les associations de femmes maghrébines elles-mêmes, telles « Expressions maghrébines au féminin » ou l' « Association Nouvelle Génération immigrée », craignent d'évoquer ce genre de problème, dans leur hantise d'être « récupérées » par les mouvements féministes. Elles redoutent l'image misérabiliste qui est donnée de la femme arabe : « On en parle toujours comme d'une martyre. Mais beaucoup réagissent et se battent. » Et nombre de jeunes femmes « réussissent » d'ailleurs leur intégration bien mieux que les garçons.

Élevés entre deux nations, deux cultures, deux modes de vie, ils sont aujourd'hui, simple évaluation faute de données fiables, 700 000 à 800 000 beurs. Un qualificatif qu'ils détestent d'ailleurs, comme celui de « deuxième génération »... « Les Français garderont toujours de nous l'image d'immigrés, mais nous sommes nés ici, nous n'avons jamais émigré », s'indigne l'une de ces jeunes « beurettes ». Génération zéro, génération de la rupture, du refus – mais du refus d'être sacrifiée –, consciente que l'intégration, la vraie, peut seule gommer les différences. Mais leur en donne-t-on vraiment les moyens, la leur facilite-t-on vraiment, cette fameuse intégration? En répétant qu'*ils* ne sont ni d'ici, ni d'ailleurs, « enfants de nulle part »... Eux savent qui ils sont et d'où ils sont et s'insurgent : « On nous identifie à nos parents comme si on voulait nier le fait que nous sommes ce que la France a fait de nous... »

Sophie Ponchelet

Achevé d'imprimer en novembre 1991
sur les presses de Cox & Wyman Ltd
(Angleterre)

Dépôt légal : décembre 1991
Imprimé en Angleterre